DIE SAMMLUNG ROBERT LEBECK

HERAUSGEBER:
JUTTA REINKE, WOLFGANG STEMMER

PIONIERE DER KAMERA

DAS ERSTE JAHRHUNDERT DER FOTOGRAFIE

1840-1900

FOTOFORUM BREMEN

Editorische Notiz

Ausstellung und Katalog sind dem Enthusiasmus der Beteiligten zu verdanken. Und der kam auf, weil sich eine Beschäftigung mit den Bildern der Sammlung Robert Lebeck auf ganz besondere Weise lohnt: Facettenreicher, spannender, schöner kann die Geschichte der Fotografie bis zur Jahrhundertwende in Bildern nicht erzählt werden. Dieser sinnlichen Qualität wegen wurde von den Herausgebern auf eine theoretische Rezeption verzichtet. An ihrer Stelle bietet eine Übersichtstafel des ersten Jahrhunderts der Fotografie grobe Orientierungshilfe. Weil die Sammlung durch die Motivation ihres Regisseurs geprägt wurde, und weil diese Regie mit der Geschichte des Sammlers verbunden ist, präsentieren die Herausgeber zudem Materialien zur Person Robert Lebecks.

Ein herzliches Dankeschön gilt allen Mitarbeitern dieser Produktion für ihren Einsatz, dem Sammler für seine Generosität und den Sponsoren für ihre Unterstützung.

FOTOFORUM BREMEN E.V.
Der Vorstand

Impressum:

Verlag: FOTOFORUM BREMEN E.V.

Konzept und Idee: Wolfgang Stemmer

Herausgeber: Jutta Reinke, Wolfgang Stemmer

Produktion und Gestaltung:
Jutta Reinke, Wolfgang Stemmer, Ingo Trauer

Herstellung: Asco-Druck GmbH & Co. KG., Bremen

Fotoarbeiten
Diaherstellung der Daguerreotypien:
Steffen Wolff, Hamburg

Reproduktionen: Inge Fuhrmann, Bremen

Übersetzung: Paul Lindsay, Ralf Behrendt, Bremen

Vertrieb: FOTOFORUM BREMEN E.V.
Fedelhören 31, D-2800 Bremen 1, ☎ (04 21) 32 46 40

Auflage: 1.–5. Tausend, März 1987

Umschlagfoto: Roger Fenton, „The Queen's Target", Königliches Preisschießen, Wimbledon, 1860, Albuminabzug vom Glasnegativ

© und alle Rechte liegen beim
FOTOFORUM BREMEN E.V. und Robert Lebeck

Die Ausstellung
PIONIERE DER KAMERA
DAS ERSTE JAHRHUNDERT DER FOTOGRAFIE
1840–1900
DIE SAMMLUNG ROBERT LEBECK
ist eine Produktion des FOTOFORUM BREMEN E.V.
Sie wird vom 19. März bis zum 10. Mai 1987 im
FORUM BÖTTCHERSTRASSE BREMEN gezeigt.
Weitere Ausstellungsstationen sind in Vorbereitung.

Wir danken ASCO-Druck GmbH & Co. KG., Bremen; HAG-G.F. AG, Bremen; Kodak AG, Stuttgart; Nikon GmbH, Düsseldorf; Nordmende GmbH, Bremen; Michael Galerie, Bremen; SECURITAS Versicherungs-AG, Bremen; Sparkasse in Bremen, Bremen; Verlag Gruner + Jahr, Hamburg, für ihre Unterstützung.

Editorial Notes

Manny thanks to all those involved, for their help and enthusiasm in the preparation of both the exhibition and the catalogue.
The photographs which make up the Robert-Lebeck-Collection engender a special kind of commitment of their own; the history of photography could not be told in more exciting, more beautiful or a more varied way. Because of this sensual quality we the editors see no need here for a theoretical preface. In its place, intended to afford a rough means of orientation, we have put together a chronological table of the first century of photography.
In addition, because the collection has been influenced by, and is closely connected with the life of its collector, the editors considered it proper to present some material relating to Robert Lebeck himself.

We would like to thank all those, who worked on this project for their effort. We would also like to express our appreciation to the collector for his generosity and the sponsors for their support.

FOTOFORUM BREMEN E.V.
The committee

Das erste Jahrhundert der Fotografie

„Es ist also kein Zweifel daran möglich, daß die erste Idee der Fotografie im Jahre 1793 gefaßt wurde!" schrieb Nicéphore seinem Bruder Claude Niépce am 16. September 1824. Mit den ersten Versuchen der Gebrüder Niépce um 1798 beginnt die Zeittafel, die sich im wesentlichen auf folgende Quellen beruft:

Helmut Gernsheim: „Geschichte der Photographie", 1983, Propyläen Verlag, Frankfurt a.M.

Beaumont Newhall: „Die Väter der Fotografie", 1978, Heering-Verlag, Seebruck

Wolfgang Baier: „Geschichte der Fotografie", 1980, Schirmer/Mosel Verlag, München

Wolfgang Kemp: „Theorie der Fotografie 1839-1912", 1980, Schirmer/Mosel Verlag, München (Bd. 1)

1798: Die Brüder Claude (1763-1828) und Nicéphore Niépce (1765-1833) machen im italienischen Cagliari erste Experimente, um die in der Camera obscura erzeugten Bilder auf chemischen Wegen festzuhalten.

1802: In dem in London erscheinenden „Journal of the Royal Institution" publiziert Thomas Wedgewood (1771-1805) einen „Bericht über eine Methode, Glasbilder zu kopieren und Silhouetten herzustellen durch Einwirkung von Licht auf Silbernitrat".

1816: Nicéphore Niépce macht erste Papierfotografien mit drei selbstgebauten Kameras aus dem Fenster seines Arbeitszimmers in Saint-Loup-de-Varennes.

1819: Der englische Naturwissenschaftler John F. W. Herschel (1792-1871) entdeckt die Eigenschaft des Natriumthiosulfats, Silbersalze aufzulösen.

1822: Nicéphore Niépce gelingt mit Hilfe von Asphalt auf Glas die erste lichtbeständige heliografische Kopie eines Kupferstichs.

1826: Nicéphore Niépce erwirbt im Januar, nachdem er zehn Jahre lang mit selbstgebauten Kameras gearbeitet hatte, in Paris beim Optiker Vincent Chevalier seine erste fachmännisch hergestellte Camera obscura. Durch Chevalier lernt Niépce den Kunstmaler und Besitzer des spektakulären Dioramas in Paris, Louis Jacques Mandé Daguerre (1787-1851) kennen.

1827: Nicéphore Niépce belichtet acht Stunden den Blick aus dem Fenster seines Arbeitszimmers auf einer mit Asphalt lichtempfindlich gemachten Zinnplatte, 165 x 205 mm; die erste erhalten gebliebene, lichtbeständige Fotografie, die früheste Aufnahme nach der Natur: ein Direktpositiv.

1829: Nach fast dreijährigen Kontakten kommt es am *14. Dezember* zu einem Gesellschafter-Vertrag zur Verwertung der fotografischen Erfindung zwischen Niépce und Daguerre.

The first century of photography

"There can be no doubt that photography was first conceived in the year 1793!" These lines were written by Nicéphore Niépce in a letter to his brother on the 16th Sept. 1824. The following chronological table takes as its starting point the experiments made by the Niépce brothers in 1798. The following is a list of references, used for this chronological table:

Helmut Gernsheim: "The History of Photograhy", 1969, McGraw-Hill, New York

Beaumont Newhall: "Latent Image", 1978 (Revised Edition), Heering-Edition, Seebruck

Wolfgang Baier: „Geschichte der Fotografie", 1980, Schirmer/Mosel-Edition, Munich

Wolfgang Kemp: „Theorie der Fotografie", 1980, Schirmer/Mosel-Edition, Munich (Vol. I).

1798: The brothers Claude (1763-1828) and Nicéphore Niépce (1765-1833) conduct in Cagliari (Italy) their first experiments in trying to fix images, produced by the camera obscura, using chemical means.

1802: Thomas Wedgewood (1771-1805) publishes in the London "Journal of the Royal Institution": "An account of a method of copying painting upon glass and of making profiles by the agency of light upon silver nitrate".

1816: From the window of his work-shop in Saint-Loup-de-Varennes Nicéphore Niépce takes the first paper photographs using three self-made cameras.

1819: The English natural scientist John F. W. Herschel (1792-1871) discovers that natriumthio-sulphate is a solvent of silver salt.

1822: Nicéphore Niépce manages to produce the first light insensitive heliographic copy of a copper engraving by using asphalt on glass.

1826: In January Nicéphore Niépce, after working for 10 years with his own self-made cameras, acquires his first professionally built camera obscura from the Parisian optican Vincent Chevalier. Through Chevalier he gets to know in Paris the artist Louis-Jacques Mandé Daguerre (1787-1857), who is in possession of the spectacular "Diorama".

1827: Nicéphore Niépce exposes the view from the window of his workshop to a 165 x 205 mm tin-plate, made sensitive to light by asphalt; this photograph still exists today, the first light insensitive photograph, the first photograph taken of nature; a direct-positive.

1829: After almost three years of cooperation, on the *14th December,* Niépce and Daguerre sign a contract, outlining how they will exploit photography commercially.

1834: Der englische Privatgelehrte William Henry Fox Talbot (1800-1877) beginnt auf seinem Landsitz Lacock Abbey mit fotografischen Versuchen auf lichtempfindlichem Papier.

1835: William Henry Fox Talbot fotografiert das Fenster seiner Bibliothek von innen: er stellt damit das erste Negativ her. Mit seinen sehr kleinen Kameras, sogenannten Mausefallen, gelingen ihm mehrere Negativ-Aufnahmen seines Landsitzes. Trotz erster Erfolge setzt Talbot diese Versuche nicht fort. Erst als Daguerres Verfahren 1839 publik wird, beeilt sich Talbot mit der Weiterentwicklung. Daguerre entdeckt zu dieser Zeit das „latente Bild": Belichtete Silberjodidplatten können mit Quecksilberdämpfen entwickelt werden. So gelingen praktikable Belichtungszeiten.

1837: Daguerre findet nach langen Experimenten ein Fixiermittel: Kochsalzlösung. Ein Stilleben dieses Jahres ist bis heute erhalten.

1839: *Paris, 7. Januar:*
François Arago (1786-1853), Physiker und Astronom, macht in der Académie des Sciences, deren Sekretär er ist, kurze Mitteilung über Daguerres Erfindung.

Paris, 20. Januar:
Hippolyte Bayard (1801-1887) beginnt mit fotomechanischen Versuchen auf Papier.

London, 31. Januar:
Die Royal Society ist Adressat einer Mitteilung William Henry Fox Talbots über dessen fotogenische Zeichnungen.

München, 9. März:
Die Bayerische Akademie der Wissenschaften erhält Kenntnis von Talbots Verfahren; die Professoren Carl August von Steinheil (1801-1870) und Franz von Kobell (1803-1875) beginnen umgehend mit fotografischen Versuchen.

Paris, 20. März:
Hippolyte Bayard erhält gute Ergebnisse im Direkt-Positiv-Verfahren mit Papier.

New York, 20. Mai:
Samuel F. B. Morse (1791-1872) teilt Daguerre dessen Ernennung zum Ehrenmitglied der Academy of Design mit.

Paris, 24. Juni:
Hippolyte Bayard zeigt 30 Fotografien öffentlich in einem Auktionsraum.

Paris, 3. Juli:
Die französische Regierung berät den Ankauf der Erfindung Daguerres.

Birmingham, August:
William Henry Fox Talbot stellt 93 fotogenische Zeichnungen aus.

London, 14. August:
Daguerres Erfindung wird in England mit der Patent-Nummer 8194 geschützt.

Paris, 19. August:
William Henry Fox Talbot schützt seine Erfindung mit einem französischen Patent.

1834: The English independent scholar William Henry Fox Talbot (1800-1877) begins, on his country-estate of Lacock Abbey, to experiment with light-sensitive paper.

1835: William Henry Fox Talbot produces a photograph of his library window, taken from indoors. In so doing, he produces the very first negative. Using his very small cameras (so-called "mouse-traps") he manages to take several negative photographs of his countryestate. Despite this initial success Talbot does not carry on with these experiments.
Only when Daguerre's process is published in 1839, does Talbot speed up his own further research and development.
At this time Daguerre discovers the latent photograph – exposed silver iodized plates developed by using mercury vapour. Using this method it becomes possible to obtain practical exposure times.

1837: After long experimentation Daguerre discovers a fixative: sodium chloride solution.
Photography becomes practicable – a still-life taken in this year has been preserved until today.

1839: *Paris, 7th January:*
François Arago (1786-1853) a physicist and astronomer and secretary of the French Academy of Science gives a brief report about Daguerre's discovery;

Paris, 20th January:
Hippolyte Bayard (1801-1887) begins his photochemical experiments on paper;

London, 31st January:
The "Royal Society" receives a report from William Henry Fox Talbot on his photogenic drawings;

Munich, 9th March:
The Bavarian Academy of Science takes notice of Talbot's methods and Prof. Carl August von Steinheil (1801-1870) and Prof. Franz von Kobell (1803-1875) immediately begin their own experiments;

Paris, 20th March:
Hippolyte Bayard obtains favourable results with paper using the direct-positive-process;

New York, 20th May:
Samuel F. B. Morse (1791-1872) informs Daguerre of his honorary membership of the Academy of Design;

Paris, 24th June:
Hippolyte Bayard shows 30 photographs publicly in an auction room;

Paris, 3rd July:
The French goverment deliberates about the purchase of Daguerre's invention;

Birmingham, August:
William Henry Fox Talbot exhibits 93 photogenic drawings;

London, 14th August:
Daguerre's invention is protected in England, under patent-no. 8194;

Paris, 19th August:
William Henry Fox Talbot protects his invention with a French patent;

Paris, 19. August:
François Arago verkündet Einzelheiten und erläutert die Ergebnisse der Erfindung von Niépce und Daguerre auf einer gemeinsamen Sitzung der Académie des Sciences und der Académie des Beaux-Arts.

Paris, 3. September:
Daguerre führt einmal wöchentlich sein Verfahren dem Publikum vor.

Paris, 14. Oktober:
Alfred Donné (1801-1878), Direktor des Charité, legt die erste Portraitaufnahme der Académie des Sciences vor.

Paris, Dezember:
Thèodore Maurisset karikiert „die Daguerreotypomanie": mit großer Eile findet die Daguerreotypie in aller Welt Interessierte.

1840:   William Henry Fox Talbot entdeckt die Calotypie, die positive Salzpapierkopie vom Papiernegativ. Damit wird es möglich, beliebig viele Kopien herzustellen. Sein Negativ-Positiv-Prozeß erweist sich bald als zukunftsträchtigstes Verfahren der Fotografie.

Im *März* eröffnet Alexander S. Wolcott (1804-1844) in den USA das erste Portrait-Atelier; zwölf Monate später,

1841:   eröffnet Richard Beard (1801-1885), am *23. März* das erste europäische Portrait-Atelier auf dem Dach des Polytechnikums in London.
Noël-Marie Paymal Lerebours (1807-1873) stellt im ersten kommerziellen Atelier Frankreichs im ersten Betriebsjahr bereits 1500 Portraits her.

1842:   Hermann Biow (1810-1850) und Ferdinand Stelzner (1805-1894) dokumentieren den großen Brand in Hamburg (5. bis 8. Mai) und schaffen mithin die früheste fotografische Reportage.

1843:   In Edinburgh finden David Octavius Hill (1802-1870) und Robert Adamson (1821-1848) zusammen und schaffen in den viereinhalb Jahren rund 1800 Calotypien.

1844:   Talbots „The Pencil of Nature" erscheint ab *29. Juni.* Es ist das erste Buch, in das Calotypien eingeklebt werden.
In Paris werden auf der Exposition des Produits de l'Industrie de France über 1000 Daguerreotypien gezeigt.

1847:   Sir David Brewster (1781-1868) erfindet die zweiäugige Stereokamera.

1848:   Abel Niépce de St. Victor (1805-1870) stellt Negative auf albuminisierten Glasplatten her. Er führt das nasse Kollodium-Verfahren ein.

1850:   Louis Désiré Blanquart-Evrard (1802-1872) beschichtet Papier mit Albumin.

Paris, 19th August:
François Arago announces the details and results of Niépce and Daguerre's invention before a collective conference of the Academy of Science and the Academy of Fine Arts;

Paris, 3rd September:
Daguerre presents his methods to a public audience once a week;

Paris, 14th October:
Alfred Donné (1801-1878), director of the Charité presents the first photographic portrait to the Academy of Science;

Paris, December:
Thèodore Maurisset draws a cartoon caricature entitled, "Daguerreotype-Mania". With amazing speed, the world begins to show great interest in daguerreotypes.

1840:   William Henry Fox Talbot discovers the calotype, the positive salt-paper copy from a paper-negative. It now becomes possible to reproduce as many copies as one chooses. His negative-positive process soon proves itself, as the method with the most future in photography.

In *March* Alexander S. Wolcott (1804-1844) opens the first portrait-studio in the USA. Twelve months later ...

1841:   On the roof of the London Polytechnic, Richard Beard (1801-1885) opens, on the *23rd March,* the first European portrait studio.
Noël-Marie Paymal Lerebours (1807-1873) produces 1,500 portraits in his first year of business in the first commercial studio in France.

1842:   Hermann Biow (1810-1850) and Ferdinand Stelzner (1805-1894) document the great fire of Hamburg (5th – 8th May) and in so doing produce the first example of photographic journalism.

1843:   In Edinburgh, David Octavius Hill (1802-1870) and Robert Adamson (1821-1848) begin a cooperation which in the 4½ years they work together, produces 1,800 "calotypes".

1844:   Talbot's "The Pencil of Nature" is published on *29th June.* It is the first book to contain "calotypes" stuck onto its pages.
In Paris 1,000 daguerreotypes are shown at the "Exposition des Produits de l'Industrie de France".

1847:   Sir David Brewster (1781-1868) invents the binocular stereoscopic camera.

1848:   Abel Niépce de St. Victor (1805-1870) produces a negative on a glassplate coated with albumen. He creates the so-called "wet collodion process".

1850:   Louis Désiré Blanquart-Evrard (1802-1872) coats paper with albumen.

1851: Im *März* veröffentlicht Frederick Scott Archer (1813-1857) eine fundierte Beschreibung des nassen Kollodium-Verfahrens, das bis 1880 wichtigstes fotografische Verfahren bleiben wird. Gustave Le Gray (1820-1862) verbessert die Transparenz des Papiernegativs durch ein Wachsbad, in das er das Fotopapier vor der Sensibilisierung taucht.

1852: Der englische Fotograf Roger Fenton (1819-1869), Mitglied des Londoner „Calotype Club", bereist mit seinen Kameras Kiew, St. Petersburg, Moskau und bringt erste Reisefotografien mit nach London.

1854: André Adolphe Eugène Disdéri (1819-1889) läßt am *27. November* sein Patent auf Visitenkartenporträts eintragen.

1855: Roger Fenton reist erneut nach Rußland. Die erste Kriegsreportage entsteht, 360 Aufnahmen illustrieren den Krim-Krieg. Im *September* publiziert der französische Chemiker J. M. Taupenot (1824-1856) sein trockenes Kollodium-Verfahren.

1858: Gaspard Félix Tournachon (1820-1910), genannt Nadar, macht aus einem Ballon erste Luftaufnahmen; am *23. Oktober* läßt er sich die Idee patentieren, doch erst ab 1862 werden ihm gute Bilder gelingen.

1860: Nadar fotografiert mit einer portablen Lichtanlage in den Pariser Katakomben und schenkt 100 gelungene Aufnahmen der Stadt Paris.

1861: Mathew B. Brady (1823-1896), Besitzer zweier großer Fotoateliers in New York und Washington, rüstet eine Reihe von mobilen Fotografen-Teams aus und läßt den amerikanischen Sezessionskrieg dokumentieren.

1862: Der französische Pianist Louis Ducos du Hauron (1837-1920) publiziert Untersuchungen über farbfotografische Verfahrenstechniken.

1865: Nadar, Cameron, Rejlander, Talbot und andere stellen auf der Internationalen Fotografie-Ausstellung in Berlin aus.

1868: Louis Ducos du Hauron präsentiert erste farbige Pigmentdrucke; er realisiert das erste Patent auf dem Gebiet der Farbfotografie.

1871: Die Kommunarden in Paris lassen sich bei den Barrikaden fotografieren; aufgrund der Aufnahmen werden einige der Aufständischen identifiziert und strafverfolgt. Richard Leach Maddox (1816-1902) beschreibt seine Erfindung der Gelantinetrockenplatte; die Bromsilber-Gelatine-Trockenplatte findet umgehend Verbreitung.

1873: Hermann Wilhelm Vogel (1834-1898), Professor für Fotochemie der Technischen Universität in Berlin, gibt im Dezember bekannt, daß ihm eine orthochromatische Sensibilisierung des Negativmaterials gelungen sei.

1851: In *March* Frederick Scott Archer (1813-1857) publishes a detailed paper on the "collodion-process", which is to remain the most important process until 1880. Gustave Le Gray (1820-1862) improves the transparency of the paper-negative by submerging it in wax before sensitizing the photographic paper.

1852: The English photographer Roger Fenton (1819-1869), a member of the London "Calotype Club" travels through Kiev, St. Petersburg and Moscow with his cameras, bringing back the first travel photographs to the English capital.

1854: André Adolphe Eugène Disdéri (1819-1889) patents on the *27th November* his technique of producing carte-de-visite photographs.

1855: Roger Fenton travels again to Russia. This results in the first photographic documentation of war. 360 photographs illustrate the Crimean War. In *September* the French chemist J. M. Taupenot (1824-1856) publishes his dry-collodion process.

1858: Gaspard Félix Tournachon (1820-1910), known as Nadar, takes the first aerial photographs from an air balloon. On the *23rd October* he patents the idea even though he doesn't manage to take decent photographs until 1862.

1860: Nadar takes photographs in the Parisian Catacombes with the assistance of a portable, lighting set and presents 100 successful photographs to the city of Paris.

1861: Mathew B. Brady (1823-1896) the owner of two photographic studios in New York and Washington equips several mobile teams of photographers and documents the American Civil War.

1862: The French pianist Louis Ducos de Hauron (1837-1920) publishes experiments with coloured photographic techniques.

1865: Nadar, Cameron, Rejlander, Talbot and others display their work at the "Internationale Fotografie-Ausstellung" in Berlin.

1868: Louis Ducos de Hauron presents the first colour pigmented prints and is first to obtain a patent in the field of colour photography.

1871: The Communards allow themselves to be photographed at the barricades in Paris; as a result, several of the rebels are identified and punished. Richard Leach Maddox (1816-1902) publishes his invention of the so-called Gelatine-dry-plate-process. The Bromsilver-gelatine-dry-plate becomes widely used.

1873: Hermann Wilhelm Vogel (1834-1898), Professor of photochemistry at the Techical University of Berlin, announces in December that he has successfully managed to sensitise the negative using an orthochromatic process.

1877: Der Amerikaner Eadweard Muybridge (1830-1904) fertigt erste Reihenaufnahmen von sich bewegenden Motiven an.

1879: Johann Sachs in Berlin, Friedrich Wilde in Görlitz und Carl Haack in Wien erzeugen industriell Bromsilber-Gelantineplatten. Diese Trockenplatten ermöglichen Momentaufnahmen in Sekundenbruchteilen.
Karel Klič (1841-1926) entwickelt in Wien die Fotogravure.

1880: Stephen H. Horgan veröffentlicht im New Yorker „Daily Graphic" ein gerastertes Halbtonfoto; erst drei Jahre später wird der Münchener Georg Meisenbach (1841-1912) in der Leipziger „Illustrirte Zeitung" Gleiches tun.

1888: „Kodak Nr. 1", die erste Rollfilmkamera, kommt auf den Markt. Der Apparat wiegt 680 Gramm, ist sehr preiswert und enthält ein „Stripping"-Filmband für immerhin 100 Bilder.
Jacob A. Riis (1849-1914) liefert sozialdokumentarische Fotografien: Er fotografiert Mißstände in New Yorks Armenviertel, Manhattans Lower East Side. Theodore Roosevelt reagiert beim Anblick der Fotografien betroffen und ergreift konkrete Maßnahmen, um die Übel zu beseitigen.

1889: Peter Henry Emerson (1856-1936) propagiert mit seinem Buch „Naturalistic Photography" ein antiromantisches Glaubensbekenntnis der naturalistischen Fotografie.

1877: The American Eadweard Muybridge (1830-1904) completes the first series of photographs of a moving object.

1879: Johann Sachs (Berlin), Friederich Wilde (Görlitz) and Carl Haack (Vienna) manufacture an industrial bromsilver-gelatine-plate.
These dry-plates make it possible to take split second exposures.
Karel Klič (1841-1926) develops the photo-gravure in Vienna.

1880: Stephen H. Horgan publishes in the New York "Daily Graphic" a half-tone photograph, using the silk-screen process. Not until three years later does Georg Meisenbach (1841-1912) from Munich do the same thing in the Leipziger "Illustrirte Zeitung".

1888: "Kodak No. 1", the first filmroll-camera is brought onto the market. It weighs 680 grams, is very inexpensive and comes with a so-called "Stripping" for no less than 100 photographs.
Jacob A. Riis (1849-1914) is the first to take photographs with sociological import: he photographs the squallor in New York's poorer quarters of Manhattan's Lower East Side. Roosevelt is touched by these photographs and takes concrete measures to alleviate the misery.

1889: Peter Henry Emerson (1859-1936) propagates, in his anti-romantic book "Naturalistic Photography", the doctrine of naturalistic photography.

Materialien zur Sammlung Robert Lebeck

I. Nicht für alle der zahlreichen Söhne des Tagelöhners Thomas Lebeck fand sich im oberschlesischen Gleiwitz, in der engeren Heimat, Brot und Arbeit. Der 1838 geborene Johann Jakob wanderte aus gen Westen und faßte als Modellschreiner Fuß. Sein Sohn Oscar, 1869 geboren, wurde Hotelier. Oscar heiratete Olga, die Tochter des in Stendal geborenen Ernst Carl Hartje und der ebenda geborenen Ida Glimm. Olga und Oscar Lebeck-Hartje bekamen zwei Söhne: Oscar jun. wanderte in die USA aus und reüssierte als Kinderbuch-Illustrator – Kurt studierte in Berlin Jurisprudenz. Im August 1928 heirateten in Berlin der 29jährige Kurt Lebeck und die 21jährige Maria Kühne.

Der verarmte verdiente preußische Rittmeister Oskar von Stülpnagel sah sich seiner pekuniären Nöte bar, als er die Tochter der durch die Rendite von Plüschfabriken sehr gut betuchten jüdischen Familie Wolff ehelichte. Diese ebenso vernünftige wie glückliche Ehe gab Beispiel: Die Tochter Renate nahm in sehr jungen Jahren bereits entsprechende Verbindung auf, Plüsch kam zu Plüsch, sie heiratete den Sproß der Marie Rudolph, Plüschdividendenerbin, und des Georg Kühne, Fabrikbesitzer. Der Sproß hieß Walter, studierte Juristerei und verfügte schon während der Studentenjahre über ein jährliches Taschengeld von damals sagenhaften fünfzigtausend Mark in Gold – das durch die folgende Heirat akkumulierte Plüschkapital der Familie Kühne-von Stülpnagel polsterte vollends, Renate und ihr Dr. jur. Walter lebten nach ihren individuellen Interessen, im Stadthaus zu Berlin oder im Sommerhaus in Jamlitz. Als ihre Tochter Maria Kurt Lebeck heiratete, war sie im dritten Monat schwanger.

Die Ehe dauerte nicht. Im März 1929 gebar Maria den Sohn Robert, im Juni schloß Kurt Lebeck seine juristischen Examina ab; kaum Ehemann, Vater und Gerichtsassessor geworden, fesselte die multiple Sklerose den Dreißigjährigen ans Bett. Die stigmatisierende Krankheit und ihre Auswirkungen zerschlugen die Ehe. Maria entzog sich, zog aus nach Jamlitz, zurück in den Schoß der Familie Kühne-von Stülpnagel. Da der Sohn Robert mit Sicherheit einziges Kind seines bettlägerigen Vaters bleiben würde, die junge lebenslustige Maria hingegen mit einiger Wahrscheinlichkeit in einer anderen Ehe weitere Kinder bekommen könne, sprach das Scheidungsgericht nach eingehendem Prüfungsverfahren den Sohn dem Vater zu.

Maria verlebte den Sommer 1930 in Jamlitz. Es zog sie bald nach Berlin zurück, sie eröffnete einen kleinen kunstgewerblichen Laden, wenige Straßenzüge von Kurt und ihrem Sohn entfernt. 1930 war sie ausgezogen, doch erst 1934 trat die Scheidung in Kraft. Einige Zeit später heiratete sie Erich Seiffert und zog mit ihrem Mann in ein idyllisches Holzhaus auf dem Grundstück des väterlichen Sommerhauses in Jamlitz. Robert bekam bald Stiefbrüder, drei insgesamt: Christian, Kaspar und Florian. Kurts Haushalt wurde von Olga Lebeck-Hartje, seiner Mutter geführt. Sie pflegte ihren Sohn, erzog ihren Enkel und versorgte beide mit großem Einsatz. Mit der knappen Rente von einhundertsechzig Mark monatlich, abzüglich jeweils siebzig Mark für die Drei-

The Robert Lebeck Collection

I. Not all of labourer Thomas Lebeck's many sons were able to set up house and home in their North-Silesian hometown of Gleiwitz. Johann Jakob, born in 1838, struck out westward and established himself as a joiner. His son Oscar, born in 1869, became a hotelier. Oscar married Olga, the daughter of Ernst-Carl Hartje and Ida Glimm, both of whom were born in Stendal. Olga and Oscar produced two sons, Oscar jr., who emigrated to the United States and became a renouned illustrator of children's books and Kurt, who studied law in Berlin. In August of 1928 the 29 year old Kurt Lebeck and the 21 year old Maria Kühne married in Berlin.

Oskar von Stülpnagel, an impoverished, decorated Prussian Calvary Captain put an end to his financial problems when he married into the wealthy jewish Wolff family, owners of a plush factory. This marriage was both sensible and happy and set an example for their daughter, Renate – whilst still a young girl, she became aquainted with, and later married the son of Marie Rudolph, heiress to plush stock and Georg Kühne, the owner of a factory: plush had come to plush. The son's name was Walter. He studied law and as a student had already at his disposal an annual allowance of 50,000 Marks in gold, which was, at that time, an incredible amount of money. The accumulated plush capital – the result of this marriage – cushioned the Kühne-von Stülpnagel's nicely and Renate and her Dr. of law, Walter were able to pursue their individual interests in their Berlin townhouse or, during the summer, in their summer residence in Jamlitz. When daughter Maria married Kurt Lebeck, she was in her 3rd month of pregnancy.

The marriage didn't last very long. In March 1929 Maria gave birth to a son, Robert. In June of the same year Kurt Lebeck completed his law studies. He had hardly become a husband, father and junior barrister when, at the age of 30, multiple sklerosis meant that he was confined to his bed. This gloomy, depressing disease devastated the marriage. Maria fled. She moved back to the Kühne-von Stülpnagel family home in Jamlitz. Because Robert would almost certainly remain his bedridden father's only child and because the high spirited Maria would very probably be able to produce children in a second marriage, the divorce-court found, after reviewing the case, that the father should have custody of his son.

Maria spent the summer of 1930 in Jamlitz. Something made her move back to Berlin, where she opened a small arts and crafts shop, a few streets away from Kurt and her son. Although the couple had separated in 1930, the divorce proceedings were not completed until 1934. Some time later she married Erich Seiffert and moved, with her new husband, into an idyllic, wooden house on the estate of the family summer residence in Jamlitz. Robert didn't remain an only child for long. Maria gave birth to three sons: Christian, Kaspar and Florian. Kurt's household was kept by his mother Olga Lebeck-Hartje. She nursed her son, brought up her grandson and looked after both with admirable commitment. Because he received a monthly pension of 160 Marks, from which 70 Marks went towards the payment of the

Zimmer-Wohnung in Berlin, blieb Kurt Lebeck zeit seines Lebens auf die Unterstützung seiner Verwandtschaft angewiesen.

Robert, sobald er gehen konnte, besuchte seine Mutter in ihrem Berliner Laden. Als sie Frau Seiffert geworden war und in Jamlitz lebte, verbrachte Robert seine Schulferien ebenda. Sein Berliner Zuhause, durch Rücksicht auf den kranken Vater geprägt und von der weichen, warmherzigen Olga geleitet, kontrastierte stark zum weitläufigen Jamlitzer Sommerhaus, zum geheimnisvollen Individualisten Walter Kühne, der seine üppigen Apanagen der Studienzeit in Bücher investiert und in Jamlitz gut vierzigtausend Bände stehen hatte. Der Großvater malte, zeichnete, sammelte Zeichnungen, Graphiken, hatte alle nennenswerten Kunstzeitschriften abonniert, besaß Schränke voller Geheimnisse, die er seinem Enkel durchaus zu zeigen bereit war. Beide Welten hatten ihren Preis: Die latente Depression schwang in Berlin fast immer mit; und jeder kurze Besuch in Jamlitz endete mit der Trennung von der Mutter, trennte von Großvaters Welt und Perspektiven.

1943 starb, nach fast vierzehn Jahren Bettlager, der Vater; Robert kam zur Front. Nichts galt mehr. Der Krieg riß Ordnung auf, ein Fünfzehnjähriger sah Schulfreunde krepieren, sah Bilder vom Krieg. Ins Schlafzimmer seiner Jamlitzer Großmutter fiel eine Bombe, Jamlitz brannte auf die Grundmauern nieder, dabei hatten die reichen Berliner Verwandten das ganze Silber, den ganzen Schmuck und die Bilder aus „Sicherheitsgründen" nach Jamlitz verbracht. Der Großvater sprang im Nachthemd aus dem Fenster und überlebte im Holzhaus neben der Ruine, wo ihn die Russen im Bett, mit Kaffeewärmer auf dem Kopf, vorfanden. Nahezu mittellos geworden durch Krieg und Inflation, malte Walter Kühne weiter, notfalls auf altes Zeitungspapier, bis zu seinem Tode.

Im Sommer 1945 wurde Robert Lebeck aus der amerikanischen Gefangenschaft entlassen. Ein Verwandter väterlicherseits bot ihm Wohnung, Familie und das Donaueschinger Gymnasium. Ende Juli 1948 war das Abitur geschafft, war der Weg frei, er wollte weg, wollte reisen, wollte in die USA auswandern. Von der Schweiz aus gelang ihm die Passage; nach einem Jahr Studium der Völkerkunde an der Universität Zürich erreichte der junge Mann die Neue Welt. Onkel Oscar, der Bruder seines Vaters, nahm ihn auf. Robert studierte an der Columbia Universität Völkerkunde, jobte dazu als Tellerwäscher, Kellner, Lokomotiven-Wärter. Doch 1951 wollte Uncle Sam den *Einwanderer* Lebeck für den Korea-Krieg. Er überlegte und zog von dannen, traf an seinem zweiundzwanzigsten Geburtstag mit der „Liberté" in Le Havre ein; dreißig Tage später war Robert Lebeck an der Universität Freiburg mit dem Hauptfach Geologie beschäftigt.

Wiederum wenige Monate darauf heiratete er eine um fünf Jahre ältere Studentin der Medizin, zog zu ihr nach Heidelberg, bewarb sich bei der US-Armee und bekam einen sauberen Job: Abteilungsleiter der Putzkolonnen in der US-besetzten Zone.

Seine Frau Ruth schenkte ihm zum Geburtstag 1952 eine Kleinbildkamera, eine Kodak Retina; kaum vier Monate später, am 15. Juli 1952, druckte die „Rhein-Neckar-Zeitung" auf dem Titelblatt ein Foto Konrad

rent of his three roomed Berlin flat. Kurt remained, for the rest of his life, dependent on the support of his relatives.

As soon as he could walk, Robert began to visit his mother in her shop in Berlin. When she later became Frau Seiffert and lived in Jamlitz, Robert spend his school holidays there with her. His Berlin home, characterised by consideration for his sick father and run by the tender, warm hearted Olga, presented a sharp contrast to the spacious Jamlitz summer-residence and to his grandfather, the mysterious individualist Walter Kühne, who, since his time at University, had invested his more than generous allowance in books; 40,000 of them made up his library in Jamlitz. His grandfather painted, drew, collected sketches, graphics, subscribed to all the notable art magazines of the day and owned cabinets full of secrets which he was only too happy to reveal his grandson. Both these worlds had their disadvantages. In Berlin he was enveloped in an all prevailing, latent depression and in Jamlitz his short visits, were terminated with separation from his mother and from his grandfather's world and influence.

In 1943 Kurt Lebeck died, after nearly 14 years of confinement to his bed. Robert was sent off to the front. Nothing remained as it had been. War meant the collapse of all order; a 15 year old saw his friends drop like flies, experienced war first hand. A bomb fell directly into his grandmother's bedroom and the entire Jamlitz summer-residence burned to the ground; to be safe rather than sorry his wealthy Berlin relations had only shortly before brought all the family, jewellery and pictures to Jamlitz. Robert's grandfather jumped out of a window, dressed in a nightshirt and managed to survive the incident by sheltering in the wooden house beside the chared ruins where Russian soldiers later found him lying in bed with coffee cosies on his head. Living on the bread-line, the result of war and inflation, Walter Kühne continued to paint, if necessary on newspaper, until his death.

In the summer of 1945 Robert Lebeck was released from an American prisoner of war camp. A relative on his father's side offered him a place to live, a place in his family and a place at the Donaueschingen Gymnasium (highschool). In July 1948 he graduated. Nothing now stood in his way; he wanted to get away, to travel, to emigrate to the USA. He was able to obtain his passage by first going to Switzerland. From here after a year studying ethnology at Zurich University, the young man managed to get to the "New World". Uncle Oscar, his fathers brother, took him into his family. Robert studied anthropology at the University of Columbia and worked, at the same time, as a dishwasher, a waiter and as an engine watchman for the railroad. However, in 1951, Uncle Sam wanted Lebeck's services for the Korean war. He carefully considered the situation: on his 22nd birthday he arrived in Le Havre (France) on board the "Liberté". Thirty days later Robert Lebeck had begun his studies at the University of Freiburg, majoring in geology.

A few months later he married a medical student, 5 years his senior and moved with her to Heidelberg, where he applied for and got a really clean job with the American Army – he was put in charge of all the charladies in the US-occupied zone.

Adenauers – Lebecks erstes Pressefoto war erschienen. Als die Amerikaner ihren Abteilungsleiter seines neuen Hobbys wegen immer seltener zu Gesicht bekamen, einigten sich die Parteien auf Rausschmiß. Die Karriere des Fotografen Robert Lebeck begann.

1961 scheiterte die erste Ehe. Zwei Jahre zuvor hatten sich in Paris die deutsche Romanistikstudentin Heike Rennert und Robert Lebeck kennengelernt; 1963 kam es zur Heirat, und 1965 kam die Tochter Anna zur Welt. Von dieser festen Basis aus machte der Fotograf Lebeck unverbissen Karriere, reiste für „Kristall" und den „Stern" durch alle Welt, gehörte bald zu den arrivierten Fotojournalisten, erlebte die Blütezeit der großen bundesdeutschen Illustrierten und gestaltete sie mit, bis ihn die Kritik wortlos zu „einem der besten Reportage-Fotografen" erklärte. Viele seiner Fotos wurden Legenden, und die 1984 erschienene Retrospektive konnte im Untertitel „30 Jahre Zeitgeschichte" heißen, war in der Tat repräsentativer Querschnitt ihrer Zeit.

II. Ab 1972 sammelte Robert Lebeck alte Fotografie. Die Sammlung Robert Lebeck entstand im Verlauf der vergangenen fünfzehn Jahre; sie absorbierte ein Großteil der freien Zeit und der finanziellen Mittel ihres Regisseurs. Nicht ererbtes, sondern mit der Fotografie hart erarbeitetes Geld floß der Sammlung zu. Lebecks Motive sind dementsprechend intensiv. Ein Teil seiner Motivation mag durch seine Herkunft und Geschichte erklärt werden; wer an sein Sammler-Gen, an eine genetische Disposition zum Sammeln, wer an einen „Ur-Instinkt" glauben will, der kann dabei bleiben. Etwas konkreter mag die Vermutung sein, daß der Sammler Robert Lebeck Stück um Stück die heile Welt des großväterlichen Jamlitz, seinen Jugendtraum restaurieren wollte. Bewußt kam das Abenteuer in Gang durch das Bedürfnis, mehr über die Fotografie zu erfahren. Dem Autodidakten bot Theorie ohne originales Anschauungsmaterial zu wenig. Genau so, wie sich der Fotograf Robert Lebeck selbst ausgebildet hatte, näherte er sich der Geschichte der Fotografie, der Geschichte seines Berufes, seiner Identität. Und entdeckte für sich die „Anfänger", wurde gefangen von den Fotografen der ersten Stunde, konzentrierte sich auf Fotografien zwischen 1839 und 1870.

Die Bilder der Sammlung Robert Lebeck vermitteln die Faszination, die vom neuen Medium ausging. Zwei Talente waren gefordert: künstlerisches und technisches Vermögen. Lebecks Pioniere der Kamera sind Künstler, überwiegend Maler mit guter technischer Hand oder Techniker mit künstlerischen Fingerspitzen. Solche Talentsymbiosen führten das eben erst Erfundene zu rascher intensiver Blüte. Vor dem Hintergrund polarisierter Theoriebildung trug die Fotografie ihre Möglichkeiten innerhalb weniger Jahre zur Kunst, zur Wissenschaft, zum Gewerbe. Die Wissenschaft und das Gewerbe nahmen einigermaßen pragmatisch Maß am Neuen und betonten dessen Nützlichkeit. In der Kunst war die Aufnahme sehr viel aufgeregter, die spektakuläre Erfindung provozierte Pathos und Emphasis. Wer die Höhepunkte der Sammlung in Augenschein nimmt, dem mögen die damaligen Ängste unverständlich sein, der mag sich wundern, daß ein Maler angesichts erster Daguerreotypien die Malerei für „ab sofort tot" erklärte. Noch zwanzig Jahre nach Publikation der fotografischen Verfahrenstechniken, nämlich 1859, hatte kein geringerer als Charles Baudelaire Sorge um nichts Geringeres als die

In 1952, his wife Ruth gave him a "Kodak Retina" reflex-camera for his birthday. Four months had hardly passed when, on 15th July 1952, the "Rhein-Neckar-Zeitung" published a photograph of Konrad Adenauer (West Germany's first Chancellor) on its front page – Lebeck's first press photo had appeared. When his new hobby caused the attention of his American employers to be drawn to their head of department's increasingly fewer and fewer appearances at work, both parties agreed that the sack would be the best solution to the problem. Robert Lebeck's career as a photographer had begun.

The first marriage failed in 1961. Heike Rennert, a student of roman languages, and Robert Lebeck had met two years previously in Paris. They married in 1963 and in 1965 their daughter Anna was born. Anchored by this background of solidity Lebeck effortlessly made a career for himself, travelling throughout the world for the German magazines "Kristall" and "Stern" (the equivalents of the American magazine "Life"). Soon he became one of the most distinguished press-photographers of his day. He lived through the golden era of the prestigeous West-German magazines, indeed, he was one of those who shaped it. Critics simply labelled him, "...one of the best press-photographers around...". Many of his photographs became legendary. A retrospective published in 1984 was given the sub-title, "30 years of contemporary history": here was, indeed, a truely representative cross-section of its time.

II. Robert Lebeck has been collecting old photographs since 1972. The Robert Lebeck Collection has been put together over the last 15 years. It has consumed much of the collectors spare time and financial means. This collection has been financed by the hard earned money of a professional photographer and not by an inheritance from wealthy relatives. Lebeck's intensive images mirror this kind of determination. His motivation may, in part, be explained by his background and personal history; if one has faith in one's own innate ability, has faith in an inherited disposition or a gut-level instinct to be a collector, he will stick to this task. (The assertion that Robert Lebeck has tried, piece by piece, to restore the intact world of his childhood in Jamlitz may be a more plausible explanation for his motivation). The whole adventure was consciously set in motion by a desire to learn more about photography. Theory alone was simply not enough for this self-taught photographer; he needed original visual reference. Lebeck's autodidactic approach to his job was no different to the way he chose to acquaint himself with the history of photography, the history of his profession, of his identity. He discovered for himself the so-called "Beginners" and, in so doing, was captivated by the pioneers of photography: he occupied himself primarily with photography between the years of 1839 and 1870.

The photos of the Robert Lebeck Collection convey the fascination which the new medium had stimulated. Both artistic and technical talents were now demanded. Lebeck's pioneers of photography were, to a large extent, either painters with technical ability or technicans with artistic inclination. This kind of talent symbiosis meant that the newly discovered medium came to rapid and intense bloom. Within only a few years photography, against a background of polemic academic theorizing, was able to find acceptance in such fields as art, science and commerce. Science and commerce mainly

göttliche Inspiration des (französischen) Geistes. Baudelaire duldete die Fotografie nicht im Fantasieland Kunst, er wies ihr klare Grenzen, Fotografie sollte sich gefälligst an ihre „eigentlichen Pflichten" halten: Dienerin der Künste und der Wissenschaft solle sie sein, „und zwar eine sehr niedrige Dienerin, wie der Buchdruck und die Stenographie, die weder die Literatur geschaffen noch ersetzt haben". „Wenn sie gefährdete Ruinen, Bücher, Stiche und Manuskripte vor dem Vergessen bewahrt, ... dann solle sie bedankt und belobigt sein. Aber wenn es ihr erlaubt wird, sich auf die Domäne des Geistes und der Fantasie auszuweiten, auf all das, was nur durch die Seele des Menschen lebt, dann wehe uns!"

Die Kontradiktion fiel nicht weniger grundsätzlich, nicht weniger pathetisch aus; sie erteilte im befürwortenden Extrem dem gängigen Kunstbegriff kurzerhand Absage und betonte – wenige Jahrzehnte nach dem Sturm auf die Bastille –, daß die Fotografie gerade durch ihre pluralistische Disposition geeignet sei, einer neuen, demokratischen Kunst Impuls zu sein. Der Genfer Ästhetik-Professor Rodolphe Töpfer schrieb bereits 1841 voll im Soge hochschlagender Wellen: „Die Kunst, das ist ein unsichtbarer und unsicherer Gott, vor dem sich zehn Narren und drei Schelme verneigen; sie ist ein König, der seine Schmeichler und Höflinge hat – ja, haben wir nicht von Victor Hugo gehört, daß man der Kunst um der Kunst willen huldigen müsse. Nein, was uns angeht, wir wollen an ihrer Stelle die vollkommene Demokratie. Hier wie überall wollen wir das Positive, Sichtbare, das, was sich wiegen, anfassen und messen läßt, anstelle des Nebulösen, Übersinnlichen und Unwägbaren. Nieder mit der Kunst! Es lebe Daguerre!"

Tausende von Bildern gingen durch seine Hände, Sammler-Erfahrung kam auf, Geld wurde häufiger; gegen Ende der 70er Jahre erweiterte sich der Horizont der Sammlung um dreißig Jahre bis zur Jahrhundertwende. Mit beeinflussend wurden die kunsthistorischen Kenntnisse und das Urteil in ästhetischen Fragen seiner dritten Ehefrau, der Hamburger Galeristin Elke Dröscher; sie heirateten 1978. Noch in letzter Minute vor der Preis-Hausse 1984, verursacht durch massive Aufkäufe amerikanischer Museen, konnte ein privates Panorama der Fotografie bis zur Jahrhundertwende entstehen. Ganz nach dem Gusto, dem Geldbeutel und den Gelegenheiten Robert Lebecks gestaltet, ist die Sammlung nicht Enzyklopädie, sondern quasi impressionistische Geschichtsschreibung. Wo enzyklopädische Breite bald langweilt, vermittelt hier Auswahl viel begeisternder den Innovationswillen der Pioniere, ihre großartigen Leistungen und den hohen künstlerischen Wert früher Fotografie.
Rainer Wick

saw the novelty in very pragmatic terms and emphasised its utility. It's reception within artistic circles was, in contrast, much more controversial; the sensational invention provoked both pathos and exciteent. An observer of the highlights of this collection might not fully understand the fear which this novelty then inspired. He may well wonder why a painter, upon seeing the first daguerreotypes, could declare his art as being "dead forever".
In 1859, a further 20 years after the publication of the processing techniques of photography, no less than Charles Baudelaire had his grave misgivings about nothing less than (French) divine inspiration. Baudelaire could not tolerate photography's presence in art's realm of the fantasy. He allocated it very strict perimeters. Photography should take care to perform it's "proper function" which, in his opinion, was as a servant of the arts and sciences and, "a very humble servant at that, in the same category, as stenography and printing, neither of which could either create or replace literature".
"If it (photography) can save ruins, books, engravings and manuscripts from oblivion, ... then it ought to be thanked and praised. However, if it is allowed to enter the domain of the creative spirit, the fantasy and all that which can only come to life through the soul of man, then woe betide us".
The views of those who made up the opposition were no less fundamental or exaggerated: they zealously rewrote the then contemporary notions of art, emphasizing – a few decades after the Storming of the Bastille – that photography, because it could be made available to a broader mass of the public, represented a powerful, new democratic art-form. As early as 1841, in the wake of heated discussion, Rodolphe Töpfer, Professor of Aesthetics at Genf University wrote, "Art, we are told, is an invisible, insecure god, before whom 10 fools and 3 scoundrels bow: just as a king has his flatterers and courtiers, so too does art. Wasn't it Victor Hugo, who said that art should be appreciated for it's own sake? God forbid! Instead of this what we should be concerned with is an absolute democracy. What we want here and in everything we do, is a positiveness; something we can see and touch, weigh and measure: not this nebulous, transcendental, imponderable abstraction. Down with art! Long live Daguerre!"

Thousands of photographs went through his hands, his experience as collector increased and money became more plentiful. Approaching the end of the 70's the scope of the collection broadened to include the 30 years preceeding the turn of the century.
Lebeck married his 3rd wife, Hamburg gallery-owner Elke Dröscher who, with her sound knowledge of art-history and aesthetic judgement brought her influence to bear upon the collection. A private collection of photography, from it's first origins until the turn of the century, was able to be put together just in time before the price-boom of 1984, caused by unprecedented buying on behalf of American museums, could prevent it. Shaped and moulded entirely by Robert Lebeck's taste, purse and astute ability to be in the right place at the right time, this collection has become a kind of visual history book as apposed to an encyclopaedia. Whereas an encyclopaedia's preoccupation with detail can soon become boring, this collection enthusiastically conveys to the observer the desire felt by the pioneers of photography to innovate, their truly remarkable achievements and the high artistic standards set by early photography.
Rainer Wick

Fotografen- und Abbildungsverzeichnis

A

	Seite
Adamson, Robert (1821-1848)	63-71
Aguado, Comte Olympe (1827-1894)	72
Albert, Joseph (1825-1886)	192, 277
Alinari, Fratelli	104-111
Alinari, Guiseppe (1836-1891)	104-111
Alinari, Leopoldo (1832-1865)	104-111
Alinari, Romûaldo (1830-1891)	104-111
Angerer, Ludwig (1827-1879)	126
Anschütz, Ottomar (1846-1907)	279
Arendts, Leopold	127, 190
Aschbrenner, Otto	246
Atget, Eugène (1857-1927)	308, 309
Atkins, Anna (1799-1871)	86
Aubert, François	194, 195

B

Baldus, Edouard-Denis (1815-1882)	125
Ballerstaedt, A.	188, 189
Barnard, George N. (1819-1902)	194
Beard, Richard (1801-1885)	57
Beard's Photographic Institutions	50
Beato, Felix (1830-1903)	236, 237, 240-242
Béchard, Henri	254-259
Bedford, Francis (1816-1894)	208-210, 212
Beer, Alois (1840-1916)	269
Belloc, Auguste	103
Berggren, G. (Per Vilhelm) (1835-1920)	260, 261
Biewend, Dr. Eduard (1814-1888)	22, 30
Bisson, Frères	136, 137
Bisson, Auguste-Rosalie (1826-1900)	134, 135, 138, 139
Bisson, Louis-Auguste (1814-1876)	17
Bonfils, Felix (1831-1885)	211, 212, 217, 218, 219
Bourne, Samuel (1834-1912)	220
Brandt, Friedrich (1823-1891)	192, 193
Braun, Adolphe (1812-1877)	132, 133
Breuning, Wilhelm (1816-1872)	50, 51

C

Cameron, Julia Margaret (1815-1879)	179-185
Carjat, Étienne (1828-1906)	168-171
Carroll, Lewis (1832-1898)	150, 151
Certes, Francois Adolphe (1805-1887)	18, 19
Charnay, Désiréé (1828-1915)	161-165
Chevalier, Vincent (1770-)	17
Creifelds, Theodor	131

D

Davie, Daniel D. T. (1819-)	48
Disdéri, Adolphe-Eugène (1819-1890)	186, 187, 203

	Seite
Du Camp, Maxime (1822-1894)	88, 89
Durieu, Eugène (1800-1874)	102

E

Eckert, C. M	203
Emerson, Peter Henry (1856-1936)	286
Erlemann, Wilhelm	274
Eynard-Lullin, Jean-Gabriel (1775-1863)	20

F

Famin, C.	166, 167
Feilner, Johann Eberhard (1802-1869)	24, 26, 27, 52
Fenton, Roger (1819-1869)	112-121
Franck (1816-1906)	204
Frith, Francis (1822-1898)	146-149

G

Giroux, André (1801-1879)	167
Gloeden, Wilhelm von (1856-1931)	288-295
Graff, Philipp (1814-1851)	49
Greene, John Bulkley (1832-1856)	90, 91
Großfürst Michael v. Rußland (1832-)	275

H

Hammerschmidt, W.	146
Harrold, Sergeant (Royal Engineers)	198, 199
Hawes, Josiah Johnson (1808-1901)	34
Hill and Adamson	63-71
Hill, David Octavius (1802-1870)	63-71
Hofmeister, Gebrüder	296, 298
Hofmeister, Oskar (1871-1937)	296, 298
Hofmeister, Theodor (1868-1943)	296, 298
Hooper, Willoughby Wallace	252, 253
Hugo, Charles (1826-1871)	84, 85
Hugo, Victor (1802-1885)	84
Humbert de Molard, Louis-Adolphe (1800-1874)	21
Höffert, W.	274

K

Kilburn, William Edward	28
Kirstein, Dr. Alfred	299
Knudsen, Knud	282
Koppmann, Georg (1842-1909)	270, 271
Kozlowski, Justin	200, 201
Krone, Hermann (1827-1916)	127-129
Krüss, Andres (1791-1848)	31, 47
Kühn, Heinrich (1866-1944)	303
Kusakabe, Kimbei	245

L	Seite
Lake Price, William Henry (1810–1896)	101
Le Gray, Gustave (1820–1882)	71, 123
Leuzinger, George	196
Llewelyn, John Dillwyn (1810–1882)	79-83
Llewelyn, Mary Dillwyn (–1906)	178
Lorent, Dr. Jacob August (1813–1884)	98, 99
Lotze, Moritz (1809–1890)	124

M	
M. G.	282
MacPherson, Robert (1811–1872)	140-145
Marville, Charles (1816–ca. 1879)	96, 97
Mascher, J. F.	26
Maskelyne, Nevil Story (1823–1911)	74-78
Mayall, John Jabez Edwin (1810–1901)	30
Mayer frères & Pierson	122
Mc Donald, James	209
Meissner, Friedrich	208
Michiels, John Francis (1823–1887)	130
Miller, Milton M.	220-223
Millet, D.-F.	56
Monson, E.	42
Moulin, Félix Jacques-A. (ca. 1800–ca. 1868)	100
Mucha, Alphonse Marie (1860–1939)	305
Muybridge, Eadweard (1830–1904)	278
Mylius, Carl Friedrich (1827–1916)	191

N	
Nadar, Félix (1820–1910)	156-160
Naya, Carlo	99
Neurdein frères	280
Norddeutsche Expedition (Dr. H. W. Vogel und Dr. Thiele)	177

O	
Oehme, Gustav (1817–1881)	24, 25, 39

P	
Parkinson, Richard	276
Pfretzschner, Dr. Norbert (1817–1905)	268
Plüschow, Wilhelm	287
Ponti, Carlo (1821–1893)	139
Potteau, Philippe	155
Puyo, Constant (1857–1933)	296, 297

R	
Reisser, Carl (1815–)	23
Rejlander, Oscar Gustav (1813–1875)	152-154
Reutlinger, Carl (1816–1890)	52
Reutlinger, Leopold (1863–1955)	304
Robert, Louis (1811–1882)	94, 95
Robert, E.	204

	Seite
Robertson, James	115
Rutherfurd, Lewis Morris (1816–1892)	176
Rückwardt, Hermann	272, 273

S	
Sabatier-Blot, J. B.	53
Salzmann, August (1824–1872)	92, 93
Salzmann (Marinemaler)	306, 307
Savage, Charles R. (1832–1909)	197
Schaarwächter, J. C.	275
Schmidt, Ferdinand (1840–1909)	190
Schmidt, Otto (1849–)	268
Schneider, Trudpert (1804–1899)	49
Schucht, G.	205
Scolik, Charles (1853–1928)	269
Sebah, Jascal	213-216
Sinner, Paul (1834–1925)	202
Sommer, Georg (Giorgio) (1834–1914)	262-267
Soule, Will	206, 207
Southworth and Hawes	34
Southworth, Albert Sands (1811–1894)	34
Stahl, Augusto	196
Steichen, Edward J. (1879–1973)	300-302
Stelzner, Carl Ferdinand (1805–1894)	35, 36
Stillfried von Rathenitz, Raimund (1839–1911)	243
Strezek, Franz K. (1809–1885)	27
Strumper, J. H. (1843–1913)	277
Suck, Oskar	281

T	
Talbot, William Henry Fox (1800–1877)	58-62
Tamamura, K.	244
Teynard, Felix (1817–1892)	87, 90
Thomson, John (1837–1921)	221, 224-235
Trinks, Gustav (1871–1967)	299
Turner, Benjamin Brecknell (1815–1894)	83

U	
Ueno, Hikoma (1838–1904)	238-240
Unterrainer, Johann (ca. 1838–1911)	269

V	
Valentine, James	281
Vaughan, John (1842–)	172-175
Volmerange-Oulif, Casimir	43

W	
Wigand, Carl	46
Williams, T. R. (1825–1871)	32
Wilson, Georg Washington (1823–1893)	280

Z	
Ziesler, M.	275

▲ **Louis-Auguste Bisson**
Das Pferd „Jess"
ca. 1842
Daguerreotypie, 1/4 Platte

▼ **Vincent Chevalier**
„La Bernardiere"
ca. 1840
Daguerreotypie, 1/2 Platte

▲ Francois Adolphe Certes
Baumgrenze, Französische Alpen
ca. 1845
Daguerreotypie, 1/1 Platte

▼ Francois Adolphe Certes
Wiese und Wald, im Hintergrund die Tochter des Fotografen
ca. 1845
Daguerreotypie, 1/1 Platte

▲ Anonym
Ort in Belgien oder Nordfrankreich
ca. 1844
Daguerreotypie, 1/4 Platte

▼ Francois Adolphe Certes
Der Hafen von Sète, Südfrankreich
ca. 1845
Daguerreotypie, 1/1 Platte

▲ Jean-Gabriel Eynard-Lullin
Selbstporträt mit seiner Frau, Genf
ca. 1843
Daguerreotypie, 1/2 Platte

▼ Jean-Gabriel Eynard-Lullin
Kutsche des Fotografen vor seinem Palais, Genf
ca. 1845
Daguerreotypie, 1/2 Platte

▲ Louis-Adolphe Humbert de Molard
Lagny an der Marne, bei Paris
1846
Daguerreotypie, 1/2 Platte

▲ Anonym
Überschwemmte Flußlandschaft in Victoria, Australien
ca. 1855
Daguerreotypie, 1/4 Platte

▼ Dr. Eduard Biewend
Harz-Landschaft bei Königshütte
27. 6. 1854
Daguerreotypie, 1/2 Platte

▲ Carl Reisser
Der Chemiker Justus von Liebig vor seinem Labor in Giessen
1843
Daguerreotypie, 1/9 Platte

▲ Johann Eberhard Feilner
Familienbild mit Gemälden, Bremen
ca. 1845
Daguerreotypie, 1/2 Platte

▼ Gustav Oehme
Gruppe im Atelier in Berlin, Jägerstraße 20
11. 4. 1847
Daguerreotypie, 1/6 Platte

25

▲ Johann Eberhard Feilner
Goldene Hochzeit der Familie Magnus in Bremen
ca. 1845
Daguerreotypien, zwei 1/2 Platten

▼ J. F. Mascher
Herr mit Bart, USA
ca. 1855   75 x 100 mm
Stereo-Daguerreotypie, koloriert

▼ Franz K. Strezek
K.u.K.-Offizier, Wien
ca. 1857   77 x 102 mm
Stereo-Daguerreotypie, koloriert

27

▲ William Edward Kilburn
Porträt einer Dame
ca. 1850   40 x 30 mm
Miniatur-Daguerreotypie, koloriert

▼ William Edward Kilburn
Zwei Schwestern
ca. 1855   76 x 115 mm
Hälfte einer Stereo-Daguerreotypie, koloriert

▲ William Edward Kilburn
Junger Herr mit Zylinder und Stock
ca. 1855   76 x 115 mm
Häfte einer Stereo-Daguerreotypie, koloriert

▼ William Edward Kilburn
Mädchen mit Strohhut
ca. 1850
Kolorierte Daguerreotypie, 1/9 Platte

▲ Anonym, England
Die Familie Seymour, Mutter mit fünf Kindern
ca. 1853
Kolorierte Daguerreotypie, 1/1 Platte

▲ Dr. Eduard Biewend
Frau Helene und Tochter Louise
ca. 1850
Daguerreotypie, 1/2 Platte

▼ John Jabez Edwin Mayall
Mutter mit vier Kindern, England
ca. 1855   85 x 173 mm
Stereo-Daguerreotypie, koloriert

▲ Firma Andres Krüss
Weiblicher Akt mit Schleier im Spiegel
ca. 1855
Hälfte einer Stereo-Daguerreotypie

▼ Anonym
Weiblicher Akt mit Zöpfen
ca. 1855
Stereo-Daguerreotypie, koloriert

▲ T. R. Williams
  „Memento mori" (Stilleben mit Totenschädel und Sanduhr)
  ca. 1853
  Hälfte einer Stereo-Daguerreotypie

▼ Anonym, Spanien
  Straßenkehrer im Fotoatelier
  ca. 1860
  Stereo-Daguerreotypie, koloriert, 1/2 Platte

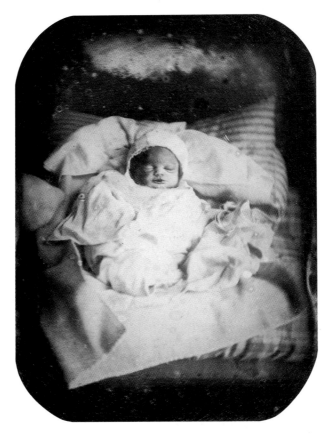

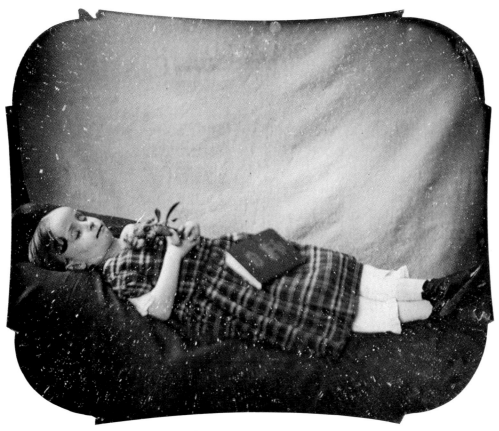

▲ Anonym
Baby post mortem
ca. 1850
Daguerreotypie, 1/4 Platte

▼ Anonym, England
Aufgebahrtes totes Kind, eine Blume in den gefalteten Händen
ca. 1850
Daguerreotypie, 1/9 Platte

▲ Southworth and Hawes
US-General John E. Wool (1784-1869), Boston
ca. 1850
Daguerreotypie, 1/1 Platte

▲ Carl Ferdinand Stelzner
Porträt eines Hamburger Kaufmanns
ca. 1845
Daguerreotypie, 1/2 Platte

▲ Carl Ferdinand Stelzner
  Damenporträt
  ca. 1845
  Daguerreotypie, 1/6 Platte

▼ Anonym
  Rom, Porta Maggiore
  ca. 1848
  Daguerreotypie, 1/2 Platte

▲ Carl Ferdinand Stelzner
  Ehepaar
  ca. 1845
  Daguerreotypie, 1/6 Platte

▲ Anonym
Rom, Kolosseum
ca. 1848
Daguerreotypie, 1/2 Platte

▼ Anonym
Rom, Piazza del Popolo
ca. 1848
Daguerreotypie, 1/2 Platte

▲ Anonym, USA
Mann mit schwarzem Handschuh
ca. 1855
Kolorierte Daguerreotypie, 1/6 Platte

▲ Gustav Oehme
Porträt eines Herrn, Berlin
ca. 1845
Daguerreotypie, 1/4 Platte

▲ Anonym, USA
Jäger mit Hund
ca. 1850
Daguerreotypie, 1/9 Platte

▲ Anonym, Deutschland
Salzverwalter Rudolf Ferd. Klotz (links) bei der Schlüsselübergabe
ca. 1855
Daguerreotypie, 1/4 Platte

▲ E. Monson
Herrenporträt, England
ca. 1850
Daguerreotypie, 1/1 Platte

▲ Anonym
Die Kirche von St. Matthias auf Barbados, Karibik
1853
Daguerreotypie, 1/2 Platte

▼ Casimir Volmerange-Oulif
Kathedrale von Metz und das Café Fabert
ca. 1844
Daguerreotypie, 1/4 Platte

▲ Anonym
Der Müller Vaclav Kulich mit Söhnen Karel und Vaclav, Nimburg (Böhmen)
ca. 1844
Daguerretypie, 1/2 Platte

44

▲ Anonym, England
„West Country farmer"
ca. 1843
Daguerreotypie, 1/6 Platte

▲ Carl Wigand
Herr und Hund im Atelier, Berlin
ca. 1850
Daguerreotypie, 1/4 Platte

▲ Firma Andres Krüss
Freundschaftsbild des „Club der wahnsinnigen Heringe" Hamburg,
6. 8. 1855
5 Daguerreotypien in einem Rahmen

▲ D. D. T. Davie
Zwei Brüder, USA
ca. 1850
Daguerreotypie, 1/2 Platte

▼ Anonym, USA
Herr mit Frau und Tochter
ca. 1852
Daguerreotypie (linke Hälfte), 1/6 Platte

▼ Anonym, USA
Eine junge Frau und zwei Männer
ca. 1852
Daguerreotypie (rechte Hälfte), 1/6 Platte

▲ Philipp Graff
Großmutter und Enkelin, Berlin
ca. 1845
Daguerreotypie, 1/6 Platte

▼ Trudpert Schneider und Söhne
Badisches Ehepaar
ca. 1860
Stereo-Daguerreotypie, koloriert

▲ Anonym
Zwei Mädchen mit Strohhüten
ca. 1850
Kolorierte Daguerreotypie, 1/4 Platte

▲ Anonym, Deutschland
Zwei Mädchen mit bestickten Taschen
ca. 1850
Kolorierte Daguerreotypie, 1/9 Platte

▼ Beard's Photographic Institutions
Zwei Schwestern, London
ca. 1848
Kolorierte Daguerreotypie, 1/4 Platte

▼ Wilhelm Breuning
Vier Schwestern, Hamburg
ca. 1850
Kolorierte Daguerreotypie, 1/6 Platte

▲ Wilhelm Breuning
Junges Paar, Hamburg
ca. 1848
Daguerreotypie, 1/4 Platte

▲ Carl Reutlinger
Friedrich von Böhm und seine Braut Maria Loos sowie deren Bruder
ca. 1848
Daguerreotypie, 1/6 Platte

▼ Johann Eberhard Feilner
Urgroßmutter Ulrike und zehn Familienangehörige, Bremen
1848
Daguerreotypie, 1/2 Platte

▲ Anonym, Italien
Contessa Bonacossi, Florenz
ca. 1845
Daguerreotypie, 1/6 Platte

▼ J. B. Sabatier-Blot
Ehepaar Antoine S., Paris
ca. 1844
Daguerreotypie, 1/4 Platte

▼ J. B. Sabatier-Blot
Porträt eines Herrn mit Stock, Paris
ca. 1844
Daguerreotypie, 1/4 Platte

53

▲ Anonym, Deutschland
Der Geometer Konrad Kohler, geb. 1793
ca. 1845
Daguerreotypie, 1/4 Platte

▼ Anonym
Der Offizier Eduard Quentin (1818-1853)
ca. 1850
Daguerreotypie, 1/4 Platte

▼ Anonym
Unbekannter Offizier
ca. 1845
Daguerreotypie, 1/4 Platte

54

▲ **Anonym**
Junger Mann mit einer Daguerreotypie
ca. 1850
Daguerreotypie, 1/9 Platte

▼ **Anonym**
Ausgestopfter Raubvogel mit Beute
ca. 1855
Stereo-Daguerreotypie

55

▲ D.-F. Millet
Ehepaar, Paris
ca. 1855
Kolorierte Daguerreotypie, 1/2 Platte

▲ Richard Beard
Porträt eines Herrn im Profil
ca. 1842   50 x 39 mm
Daguerreotypie

▼ Richard Beard
Porträt eines Herrn
ca. 1842   50 x 39 mm
Daguerreotypie

▼ Richard Beard
Porträt eines Kindes
ca. 1842   50 x 39 mm
Daguerreotypie

▲ William Henry Fox Talbot
Büste des Patroclus
1840   225 x 185 mm
Calotypie

▲ William Henry Fox Talbot
Steinhütte am Loch Katrine
1844   83 x 107 mm
Calotypie

▼ William Henry Fox Talbot
Gentleman in der Toreinfahrt von Eton Hall
ca. 1845   185 x 225 mm
Calotypie

▲ William Henry Fox Talbot
Tor von Schloß Abbotsford
1844   229 x 185 mm
Calotypie

▼ William Henry Fox Talbot
Schloß Abbotsford, Schottland
1844   185 x 230 mm
Calotypie

▲ William Henry Fox Talbot
Loch Katrine, Schottland
1844   185 x 227 mm
Calotypie

▲ William Henry Fox Talbot
„Sir Walter Scott's Monument, Edinburgh"
1844   230 x 185 mm
Calotypie

▲ Hill and Adamson
„The Argyle Gate, St. Andrews"
1846   202 x 147 mm
Calotypie

▲ Hill and Adamson
David Maitland McGill Crichton
1843   191 x 137 mm
Calotypie

▲ Hill and Adamson
„Afghan Costume"
1843   200 x 142 mm
Calotypie

▲ Hill and Adamson
Miss Binney, spätere Mrs. James Webster
ca. 1845   102 x 179 mm
Calotypie

▲ Hill and Adamson
Greyfriars Friedhof in Edinburgh
ca. 1845   200 x 150 mm
Calotypie

▲ Hill and Adamson
„Fishwives", New Haven
ca. 1846   195 x 145 mm
Calotypie

▲ Hill and Adamson
„Fishwives", New Haven
ca. 1846   195 x 145 mm
Calotypie

▲ Hill and Adamson
„Misses Grierson"
ca. 1845   200 x 142 mm
Calotypie

▲ Hill and Adamson
„Study at Leith Port – Royal Artillery – Edinburgh 1844"
1844   147 x 198 mm
Calotypie

▼ Gustave Le Gray
Alte Eichen im Wald von Fontainebleau
1851   275 x 365 mm
Salzpapierabzug von Wachspapiernegativ

▲ Anonym, Frankreich
Gefallene Eiche
ca. 1855   257 x 315 mm
Salzpapierabzug von Wachspapiernegativ

▼ Comte Olympe Aguado
Waldweg
ca. 1855   272 x 395 mm
Albumin von Wachspapiernegativ

▲ Anonym, Frankreich
Eiche und Felsen in Fontainebleau
ca. 1852   318 x 256 mm
Calotypie

▲ Nevil Story Maskelyne
„Group of Hands"
ca. 1855   140 x 145 mm
Albumin

▲ Nevil Story Maskelyne
Die Maskelyne-Familie vor ihrem Landhaus in Basset Down
1855   144 x 120 mm
Calotypie

▲ Nevil Story Maskelyne

John Pennrose und Mr. Mansfield, Oxford
ca. 1845   118 x 94 mm
Salzpapierabzug vom Glimmernegativ

▲ Nevil Story Maskelyne
Prof. Baden-Powell, Oxford
ca. 1845   220 x 182 mm
Calotypie

▲ Nevil Story Maskelyne
„Mrs. Pollen and child"
ca. 1857   189 x 140 mm
Albumin

▲ John Dillwyn Llewelyn
„*The gypsy party*", *Kinder von Llewelyn beim Zigeunerspiel*
ca. 1853   196 x 148 mm
Albumin

▲ John Dillwyn Llewelyn
Wildbach in Penllergare, Wales
ca. 1855   235 x 192 mm
Albumin

▲ John Dillwyn Llewelyn
„*The upper-fall*", *Penllergare, Wales*
1853   280 x 240 mm
Albumin

▲ John Dillwyn Llewelyn
Olivenbäume bei Mentone, Südfrankreich
ca. 1862   271 x 219 mm
Albumin

▲ John Dillwyn Llewelyn
„Penllergare woods", Wales
ca. 1856   293 x 235 mm
Albumin

▼ Benjamin B. Turner
„The Church Oak, Hawkhurst"
1852   290 x 390 mm
Calotypie

▲ Charles Hugo
Porträt Victor Hugo (1802-1885), Jersey
1853   100 x 73 mm
Calotypie

▼ Victor Hugo
„Grosnez-Castle", Jersey
17. 6. 1853   118 x 94 mm
Calotypie

(Photographie par Charles Hugo.)

S'ils ne sont plus que mille, eh bien, j'en suis ! Si même
ils ne sont plus que cent, je brave encor Sylla ;
S'il en demeure dix, je serai le dixième ;
Et s'il n'en reste qu'un, je serai celui-là...

Victor Hugo

Jersey 2 décembre 1852

▲ Charles Hugo
Porträt Victor Hugo (1802-1885), Jersey
1853   102 x 72 mm
Calotypie

▲ Anna Atkins
„*Adiantum Capillus-Veneris*", *(„British Algae")*
1854   255 x 200 mm
Cyanotypie

▲ Felix Teynard
Abu Simbel
ca. 1851   303 x 252 mm
Photolithographie von Alphonse Poitevin, ca. 1856

▲ Maxime Du Camp
 „Le Sphinx"
 1849   158 x 208 mm
 Calotypie (Blanquart-Evrard)

▼ Maxime Du Camp
 „Temple de Kardassy"
 1850   165 x 217 mm
 Calotypie (Blanquart-Evrard)

▲ Maxime Du Camp
Memnonkoloß in Theben, Ägypten
1850   197 x 157 mm
Calotypie (Blanquart-Evrard)

▲ Felix Teynard
Der Obelisk des Tempels von Luxor, Ägypten
1851   250 x 305 mm
Calotypie

▼ John Bulkley Greene
Kalifen-Gräber unterhalb der Zitadelle von Kairo
ca. 1854   223 x 300 mm
Calotypie

▲ John Bulkley Greene
Expeditionszelte in Algerien
1856   232 x 296 mm
Albumin

▼ John Bulkley Greene
Aquädukt in Konstantin, Algerien
1856   233 x 303 mm
Albumin

▲ August Salzmann
„Enceinte du Temple, Porte dorée", Jerusalem
1854   325 x 232 mm
Calotypie (Blanquart-Evrard)

▲ August Salzmann
Antike Treppe, die in das Kidrontal hinabführt, Jerusalem
1854   330 x 235 mm
Calotypie (Blanquart-Evrard)

▲ Louis Robert
Stilleben mit Skulptur, Helm und Schwert
ca. 1852
Neuer Salzpapierabzug vom Wachspapiernegativ

▲ Louis Robert
Stilleben mit Skulptur, Helm und Schwert
ca. 1852 346 x 267 mm
Wachspapiernegativ

▲ Charles Marville
Amiens, „Vierge Dorée"
1852   260 x 357 mm
Calotypie (Blanquart-Evrard)

▲ Charles Marville
Junger Mann unter Kastanienbaum
1853   210 x 161 mm
Calotypie (Blanquart-Evrard)

▲ **Dr. Jacob August Lorent**
Venedig, Palazzo Spinelli Taglioni
1853   382 x 470 mm
Calotypie

▼ **Dr. Jacob August Lorent**
Venedig, Palazzo Rezzonico
1853   380 x 480 mm
Calotypie

▲ Carlo Naya
Bronzegitter, Eingang zum Campanile, Venedig
ca. 1875   412 x 535 mm
Albumin

▼ Dr. Jacob August Lorent
„Logetta de la Campanile di St. Marco", Venedig
1853   325 x 470 mm
Calotypie

▲ F. Jacques Moulin
„Etude photographique"
ca. 1854   220 x 165 mm
Albumin

▲ William Henry Lake Price
„Don Quixote"
1855   225 x 200 mm
Photogalvanographie von Paul Pretsch 1856

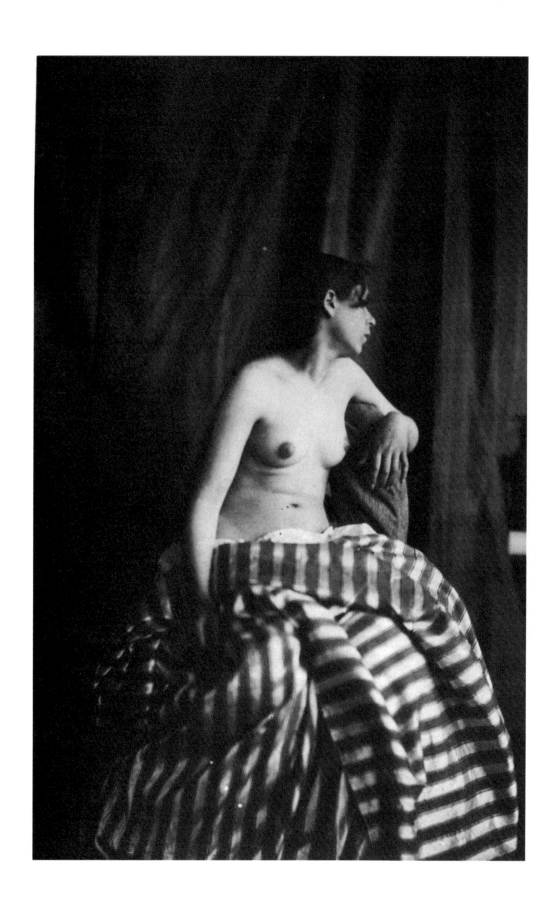

▲ Eugène Durieu
Weiblicher Akt im Atelier von Delacroix
ca. 1853   205 x 130 mm
Albumin

▲ Auguste Belloc
„Etude de Femme"
ca. 1855   196 x 170 mm
Salzpapier

▲ Fratelli Alinari
Portal in Siena
ca. 1855   320 x 245 mm
Albumin

▲ Fratelli Alinari
„Sexta del Palazzo Grattanelli", Siena
ca. 1855   344 x 263 mm
Albumin

▲ Fratelli Alinari
„*Avanzi del Duomo Vecchio*", *Siena*
1855   332 x 259 mm
Albumin

▲ Fratelli Alinari
Florenz, Palazzo Strozzi und Palazzo Corsi
ca. 1855   348 x 258 mm
Albumin

▲ Fratelli Alinari
Grabmal des Guiliano Medici, „Nacht und Tag" von Michelangelo
ca. 1855   322 x 255 mm
Albumin

▲ Fratelli Alinari
Grabmal des Lorenzo Medici, „Abend und Morgen" von Michelangelo
ca. 1855   325 x 238 mm
Albumin

▲ Fratelli Alinari
„San Giorgio di Donatello", Florenz
ca. 1855   325 x 241 mm
Albumin

▲ Fratelli Alinari
Bronzetüren des Baptisteriums (Ghiberti), Florenz
ca. 1855   337 x 252 mm
Albumin

▲ Roger Fenton
St. Petersburg
1852   169 x 210 mm
Calotypie

▲ Roger Fenton
„*Lendall Ferry*", *York, England*
1. 10. 1854   191 x 218 mm
Salzpapier

▲ Roger Fenton
Major-General Estcourt (Mitte), Krim
1855   168 x 260 mm
Salzpapier

▼ Roger Fenton
„Nubian servants and horses", Krim
1855   146 x 167 mm
Salzpapier

▲ James Robertson
Inneres der Redan-Schanze, Sebastopol, Krim-Krieg
1855   225 x 280 mm
Salzpapier

▼ Roger Fenton
„View of Balaklava with Genoese Fort", Krim
1855   246 x 335 mm
Salzpapier

▲ Roger Fenton
„A shooting for the Duke of Cambridge's price", Wimbledon
1860   227 x 280 mm
Albumin

▲ Roger Fenton
Das Zelt der Herzogin von Cambridge, Preisschießen, Wimbledon
1860   230 x 288 mm
Albumin

▼ Roger Fenton
„The Queen's Prize Shooting Competition", Wimbledon
1860   153 x 280 mm
Albumin

▲ Roger Fenton
Horatio Ross und der Sieger Edward Ross, sein Sohn
1860   253 x 276 mm
Albumin

▲ Roger Fenton
„E. Ross: Winner of the Queen's Prize", Wimbledon
1860   275 x 246 mm
Albumin

▲ Roger Fenton
„The Whitworth-rifle fired by the Queen", Preisschießen, Wimbledon
1860   264 x 288 mm
Albumin

▲ Roger Fenton
„The Queen's Target", Königliches Preisschießen, Wimbledon
1860   212 x 212 mm
Albumin

▲ Mayer frères & Pierson
Eugénie, Kaiserin von Frankreich, Paris
ca. 1858   173 x 110 mm
Albumin

▲ Gustave Le Gray
Messe für Napoleon III., Camp de Chalons
1857   295 x 365 mm
Albumin

▲ Moritz Lotze

Das Tor der Kirche „San Zeno" von Verona
ca. 1855   270 x 207 mm
Salzpapier

▲ Edouard-Denis Baldus
Paris, Blick vom Louvre auf Pont Neuf und Ile de la Cité
ca. 1860   200 x 282 mm
Albumin

▼ Edouard-Denis Baldus
Amphitheater in Nimes, Südfrankreich
ca. 1858   185 x 278 mm
Albumin

▲ Ludwig Angerer
Theatergruppe, Wien
ca. 1857   214 x 275 mm
Albumin

▲ Leopold Arendts
Das Brandenburger Tor, Berlin
ca. 1855   160 x 220 mm
Salzpapier

▼ Hermann Krone
Dresden, Brühl'sche Terrasse, Belvedere
ca. 1857   169 x 216 mm
Albumin

▲ Hermann Krone

Die Basteibrücke, Sächsische Schweiz bei Dresden
ca. 1857   398 x 315 mm
Albumin

128

▲ Hermann Krone
Das Basteihaus, Elbsandsteingebirge bei Dresden
ca. 1857   400 x 320 mm
Albumin

▲ John Francis Michiels
Kölner Dom im Bau
1853   540 x 430 mm
Calotypie

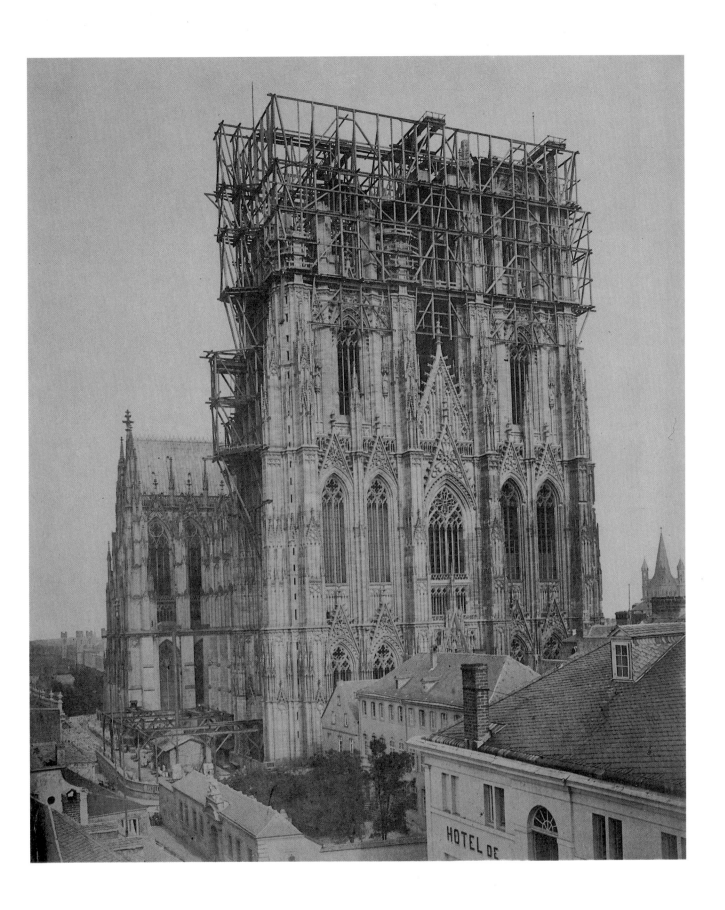

▲ Theodor Creifelds
Der Dom im Bau, Köln
ca. 1875   485 x 415 mm
Albumin

▲ Adolphe Braun
Brienz im Schnee
ca. 1865   159 x 188 mm
Albumin

▼ Adolphe Braun
Feldblumenstrauß
1854   400 x 477 mm
Albumin

▲ Adolphe Braun
„Grotte de Grindelwald", Schweiz
ca. 1865   187 x 160 mm
Albumin

▼ Adolphe Braun
Panorama des Rosenlaui-Gletschers, Schweiz
ca. 1866   227 x 487 mm
Albumin

133

▲ **Auguste-Rosalie Bisson**

Ersteigung des Mont Blanc
1861   240 x 400 mm
Albumin

▼ **Auguste-Rosalie Bisson**

Ersteigung des Mont Blanc
1861   240 x 400 mm
Albumin

▲ Auguste-Rosalie Bisson
„La Crevasse", Ersteigung des Mont Blanc
1861   400 x 240 mm
Albumin

▲ Bisson frères

„Le portail de Saint-Ursin", Bourges
ca. 1855   250 x 206 mm
Photolithographie von Alphonse Poitevin, ca. 1856

▲ Bisson frères
Der Staubbachfall bei Lauterbrunnen, Schweiz
ca. 1860   386 x 245 mm
Albumin

▲ Auguste-Rosalie Bisson

„Base en bronze du mat central de la Place St.-Marc", Venedig
ca. 1864   387 x 288 mm
Albumin

▲ Carlo Ponti
Ein Segelboot in Venedig
ca. 1856   213 x 270 mm
Salzpapier

▼ Auguste-Rosalie Bisson
„Saint-Marc", Venedig
ca. 1864   297 x 395 mm
Albumin

▲ Robert MacPherson
Rom, Porta Maggiore
ca. 1860   280 x 377 mm
Albumin

▼ Robert MacPherson
Der Schildkrötenbrunnen in Rom
ca. 1860   289 x 394 mm
Albumin

▲ Robert MacPherson
Blick von der Piazza Montanara auf das Marcellus-Theater, Rom
ca. 1855   410 x 276 mm
Albumin

▲ Robert MacPherson
Fischmarkt im Ghetto, Rom
ca. 1860   403 x 304 mm
Albumin

▲ Robert MacPherson
Der Drusus-Bogen in Rom
ca. 1860   387 x 317 mm
Albumin

▲ Robert MacPherson
Brücke und Franziskanerkloster bei Subiaco, Italien
ca. 1860   242 x 405 mm
Albumin

▼ Robert MacPherson
Griechisches Theater, Tusculum, Italien
ca. 1860   258 x 414 mm
Albumin

144

▲ Robert MacPherson
Die Festung von Perugia, Italien
ca. 1860   242 x 400 mm
Albumin

▼ Robert MacPherson
„The bridge of Augustus at Narni", Italien
ca. 1860   225 x 390 mm
Albumin

145

▲ W. Hammerschmidt
Sphinx und dritte Pyramide von Gizeh
ca. 1858   240 x 315 mm
Albumin

▼ Francis Frith
„*Cairo from the Citadel*", Kairo
1857   362 x 485 mm
Albumin

▲ Francis Frith
Die Pyramiden von Gizeh
1858   362 x 480 mm
Albumin

▼ Francis Frith
Die Pyramiden von Daschur, Ägypten
1858   340 x 480 mm
Albumin

▲ Francis Frith
Memnon-Kolosse, Theben, Ägypten
1858   370 x 475 mm
Albumin

▼ Francis Frith
Theben-West, Ramesseum, Ägypten
1858   367 x 480 mm
Albumin

▲ Francis Frith
„Mount Serbal", Sinai
1858   390 x 486 mm
Albumin

▼ Francis Frith
Der Tempel von Philae, Ägypten
1858   380 x 485 mm
Albumin

▲ Lewis Carroll
Alexandra (Xie) Kitchin beim Geigenspiel
ca. 1878   152 x 108 mm
Gelatine

▼ Lewis Carroll
Die sieben Schwestern von Lewis Carroll
ca. 1860   200 x 246 mm
Albumin

▲ Lewis Carroll
Porträt Hallam Tennyson (geb. 1852)
28. 9. 1857   122 x 102 mm
Albumin

▲ Oscar Gustav Rejlander

Miss Isabel Somers-Cocks (Nichte von Julia M. Cameron)
ca. 1862   200 x 160 mm
Albumin

▲ Oscar Gustav Rejlander
Mädchenporträt „Dalrymple"
ca. 1865   185 x 145 mm
Albumin

▲ Oscar Gustav Rejlander
Mädchen, über die Schulter blickend
ca. 1865   190 x 145 mm
Albumin

▲ Philippe Potteau
„Jean Lagrene", 66 J., Zigeuner
1865   150 x 130 mm
Albumin

▲ Félix Nadar
In den Katakomben von Paris
1861   229 x 189 mm
Albumin

▲ Félix Nadar
Frederike O'Connell (1823-1885), französische Malerin, Paris
ca. 1855   222 x 155 mm
Salzpapier

▲ Félix Nadar

George Sand (Aurore Dupin), 1804-1876, Schriftstellerin, Paris
ca. 1864   226 x 183 mm
Woodburytypie

▼ Félix Nadar

Jules Champfleury (1821-1889), Schriftsteller, Paris
ca. 1865   229 x 188 mm
Woodburytypie

▲ Félix Nadar

Isidore Servin Baron Taylor (1789-1879), Paris
ca. 1858   238 x 190 mm
Woodburytypie

▼ Félix Nadar

Charles Garnier (1825-1898), Architekt, Paris
ca. 1865   238 x 190 mm
Woodburytypie

▲ Félix Nadar
Edouard Manet (1832-1883), Paris
1867   270 x 200 mm
Albumin

▲ Félix Nadar
Madame Nadar (seine Frau), Paris
1886   106 x 79 mm
Albumin (Abzug von Paul Nadar, ca. 1910)

▼ Félix Nadar
Madame Nadar (seine Frau), Paris
1862   94 x 73 mm
Albumin (Abzug von Paul Nadar, ca. 1910)

▲ Désirée Charnay
„Baobab", Madagaskar
1863   286 x 225 mm
Albumin

▲ Désirée Charnay
Minister, Madagaskar
1863   180 x 112 mm
Albumin

▲ Désirée Charnay
Krieger mit Lanze, Madagaskar
1863   180 x 116 mm
Albumin

▲ Désirée Charnay
Baum-Farn, Madagaskar
1863   279 x 219 mm
Albumin

▼ Désirée Charnay
Krönungszeremonie der Königin von Tamatave, Madagaskar
1863   148 x 196 mm
Albumin

▲ Désirée Charnay
„Palmier main"
1863   264 x 216 mm
Albumin

▲ Désirée Charnay
Drei Frauen, Madagaskar
1863   200 x 135 mm
Albumin

▲ C. Famin
Im Wald von Fontainebleau
ca. 1870   253 x 190 mm
Albumin

▲ André Giroux
Französische Landschaft
ca. 1855   265 x 325 mm
Calotypie

▼ C. Famin
Dorf im Wald von Fontainebleau
ca. 1870   257 x 189 mm
Albumin

A mon cher filleul. Etienne-Monselet.
Son vieux parrain qui t'aime.
Etienne Carjat.

▲ Étienne Carjat
Selbstporträt
1875   168 x 112 mm
Albumin

▲ Étienne Carjat
Victor Hugo (1802-1885)
1876   222 x 184 mm
Woodburytypie

▲ Étienne Carjat
Gioacchino Rossini (1792-1868)
ca. 1865   240 x 190 mm
Woodburytypie

▲ Étienne Carjat
Charles Baudelaire (1821-1867)
ca. 1863   240 x 190 mm
Woodburytypie

▲ John Vaughan
Flußlandschaft, Oxford
1876   188 x 115 mm
„Uraniumtrockenplatte", Albumin

▲ John Vaughan
Wolkenstudie
ca. 1865   157 x 210 mm
„Feuchte Kollodiumplatte", Albumin

▲ John Vaughan

Mittagsmahlzeit
1869   110 x 186 mm
„Trockenplatte", Albumin

▼ John Vaughan

Heumachen in Magdalen Grove, Oxford
ca. 1877   107 x 180 mm
„Frühe Gelatinetrockenplatte", Albumin

174

▲ John Vaughan
Abend an der Themse, Oxford
1875   186 x 112 mm
„Sutton's feuchte Kollodiumplatte", Albumin

▲ Lewis Morris Rutherfurd

Aufnahme des Mondes am 6. Mai 1865
397 x 303 mm
Albumin

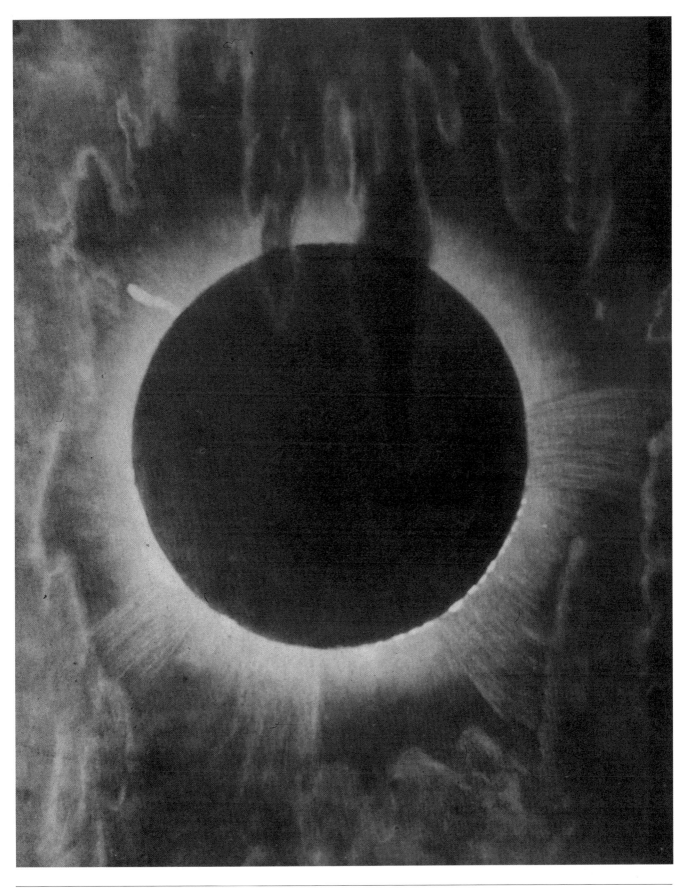

▲ Norddeutsche Expedition (Dr. H. W. Vogel und Dr. Thiele)
Totale Sonnenfinsternis in Aden am 18. 8. 1868
Carte-de-visite
Albumin

▲ Mary Dillwyn Llewelyn
„Cave in Three-Cliffs-Bay", Caswell, Wales
ca. 1854   160 x 120 mm
Albumin

▲ Julia Margaret Cameron
„La Madonna Aspettante"
1865   252 x 202 mm
Albumin

▲ Julia Margaret Cameron
Cyllene Wilson
1867   280 x 225 mm
Albumin

▲ Julia Margaret Cameron
Sir John F. Herschel
1867   330 x 262 mm
Albumin

▲ Julia Margaret Cameron
„The parting of Lancelot and Guinevere"
1874   334 x 280 mm
Albumin

▲ Julia Margaret Cameron
„*The beautiful browed Œnone*"
1872   354 x 225 mm
Albumin

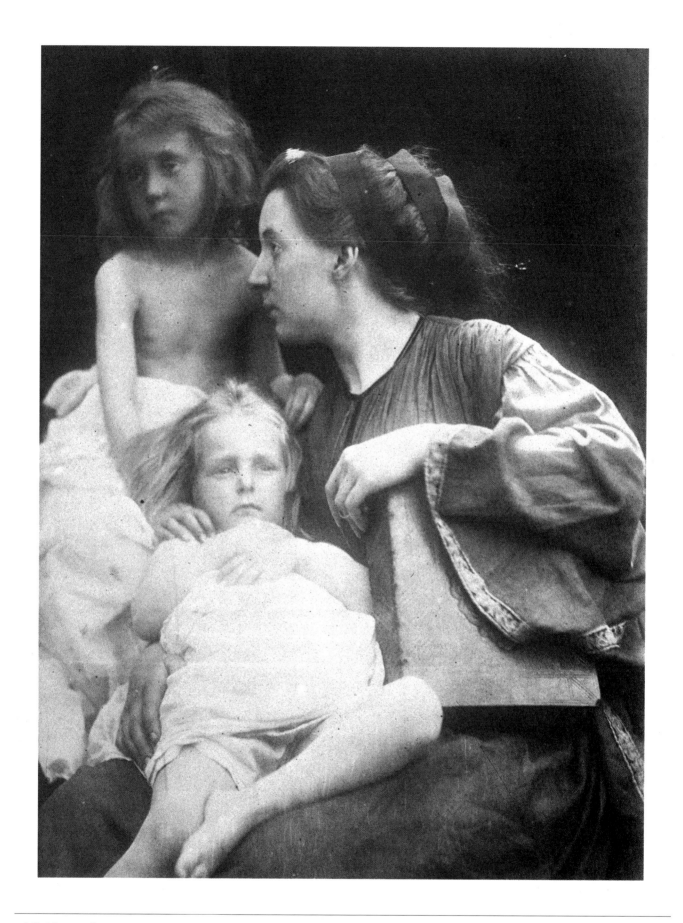

▲ Julia Margaret Cameron
„The suntipped Girl"
1870   355 x 272 mm
Albumin

▲ Julia Margaret Cameron
„Mary Mother", Mary Hillier als Maria
ca. 1866   334 x 245 mm
Albumin

▲ Adolphe-Eugène Disdéri
Carte-de-visite-Aufnahmen von Tänzern, Paris
1860
Albumin

▲ A. Ballerstaedt

Der Turm „Kiek in de Kök" und der Mäuseturm in Danzig
ca. 1865   190 x 200 mm
Albumin

▼ A. Ballerstaedt

Das Zeughaus, Danzig
ca. 1865   220 x 165 mm
Albumin

▲ A. Ballerstaedt
Das Hohe Tor, Danzig
ca. 1865   169 x 245 mm
Albumin

▲ Leopold Arendts (zugeschr.)

Der Gendarmenmarkt, Berlin
ca. 1857   215 x 182 mm
Albumin

▼ Ferdinand Schmidt

Pegnitz und Stadtmauer, Nürnberg
ca. 1865   173 x 234 mm
Salzpapier

▲ Carl Friedrich Mylius
Der Brunnen des jungen Goethe, Frankfurt
1866   232 x 167 mm
Albumin

▲ Friedrich Brandt
Gruppenbild preußischer Truppen auf den Düppeler Schanzen
1864   174 x 210 mm
Albumin

▼ Joseph Albert
Deutscher Fürstenkongreß, Frankfurt a. M.
1. 9. 1863   177 x 231 mm
Albumin

▲ Friedrich Brandt
Düppeler Schanzen nach dem Sturm der Preußischen Truppen
1864   171 x 416 mm
Albumin

▼ Friedrich Brandt
Eroberte dänische Kanone, Düppeler Schanzen
1864   174 x 210 mm
Albumin

▲ George N. Barnard
„Trestle Bridge at Whiteside", amerikanischer Bürgerkrieg
1865   257 x 357 mm
Albumin

▼ Francois Aubert
Gräber von Kaiser Maximilian und seinen Generälen, Mexiko
1867   163 x 223 mm
Albumin

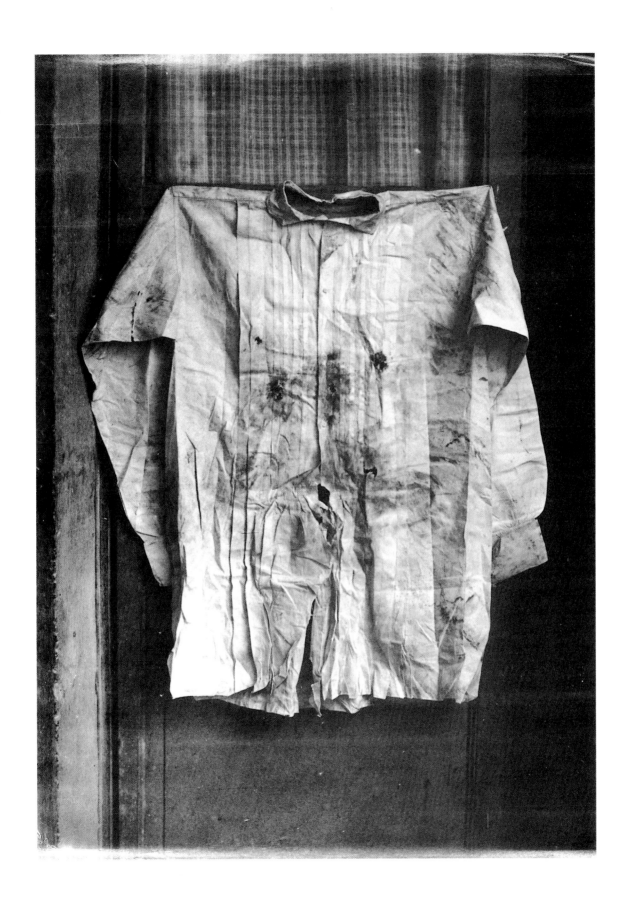

▲ Francois Aubert
Kaiser Maximilians Hemd nach der Erschießung 1867, Mexiko
218 x 157 mm
Albumin

▲ George Leuzinger
Rio de Janeiro, Bucht von Botafogo
ca. 1865   186 x 240 mm
Albumin

▼ Augusto Stahl
Botanischer Garten, Rio de Janeiro
ca. 1860   201 x 260 mm
Albumin

▲ C. R. Savage
Yosemite Valley, Kalifornien
ca. 1870   285 x 248 mm
Albumin

▲ Sergeant Harrold (Royal Engineers)
„Belocch Regiment", Äthiopien
1868   200 x 263 mm
Albumin

▼ Sergeant Harrold (Royal Engineers)
Befreite europäische Geiseln, Äthiopien
1868   138 x 192 mm
Albumin

▲ Sergeant Harrold (Royal Engineers)
Captain Speedy als abessinischer Krieger verkleidet, Äthiopien
1868   200 x 133 mm
Albumin

▲ Justin Kozlowski

Großeinsatz von Arbeitern beim Ausheben der Trasse des Suez-Kanals
1869   175 x 234 mm
Albumin

▼ Justin Kozlowski

Riesenbagger beim Bau des Suez-Kanals, Teilstück von Raz-el-ech
1869   190 x 275 mm
Albumin

▲ Justin Kozlowski
Einsatz von Zwangsarbeitern beim Bau des Suez-Kanals
1869   165 x 235 mm
Albumin

▼ Justin Kozlowski
Port Said am 16. November 1869, Eröffnung des Suez-Kanals
1869   190 x 278 mm
Albumin

▲ Paul Sinner

Straßburg, Steinstraße
28. 9. 1870   194 x 238 mm
Albumin

▼ Paul Sinner

Straßburg, vom Steintor aus
28. 9. 1870   190 x 244 mm
Albumin

▲ C. M. Eckert
Zerschossene französische Kanone in Straßburg
1870   208 x 259 mm
Albumin

▼ Adolphe-Eugène Disdéri
Preußische Soldaten in St. Denis vor Paris
1871   174 x 288 mm
Albumin

▲ E. Robert
Zerstörte Häuser in St. Cloud, Paris
1871   210 x 270 mm
Albumin

▼ Franck
Place Vendôme, Paris
16. 5. 1871   192 x 254 mm
Albumin

204

▲ G. Schucht
Das Brandenburger Tor, Berlin. Dekoration für die Siegesfeier
1871   125 x 196 mm
Albumin

▼ Anonym, Frankreich
Köpfe von hingerichteten Kommunarden, Paris. Ende Mai 1871
81 x 50 mm
Albumin

▲ Will Soule

Häuptling Ho-Wear, ein Yapparika-Comanche
ca. 1870   137 x 95 mm
Albumin

▲ Will Soule
Comanchen-Häuptling Esa-Tou-Yett
ca. 1870   147 x 100 mm
Albumin

▲ Francis Bedford
Kalifengräber, Kairo
25. 3. 1862   229 x 284 mm
Albumin

▼ Friedrich Meissner
Obelisk in Alexandria, Ägypten
ca. 1860   195 x 255 mm
Albumin

▲ Francis Bedford
Brunnen der Mohammed-Ali-Moschee, Kairo
3. 3. 1862   236 x 284 mm
Albumin

▼ James McDonald
Das Kloster von St. Katherinen, Sinai
1868   167 x 217 mm
Albumin

▲ Francis Bedford

Nordmauer im Innern des Jupiter-Tempels, Baalbek
4. 5. 1862   238 x 284 mm
Albumin

▼ Francis Bedford

Tempel des Jupiter, Baalbek
4. 5. 1862   238 x 287 mm
Albumin

▲ Felix Bonfils
Toreingang zum Jupiter-Tempel, Baalbek
1873   381 x 279 mm
Albumin

211

▲ Francis Bedford
Der Garten von Gethsemane, Jerusalem
2. 3. 1862   222 x 284 mm
Albumin

▼ Felix Bonfils
Klagemauer in Jerusalem
ca. 1870   275 x 380 mm
Albumin

▲ Pascale Sebah
Bettelnde Kinder, Konstantinopel
ca. 1870   100 x 134 mm
Albumin

▲ Pascale Sebah
Zwiebelverkäufer, Konstantinopel
ca. 1870   100 x 136 mm
Albumin

▲ Pascale Sebah
Kaminkehrer, Konstantinopel
ca. 1870   100 x 133 mm
Albumin

▲ Pascale Sebah
Sänftenträger, Konstantinopel
ca. 1870   100 x 133 mm
Albumin

▲ Felix Bonfils
„*Coupole de Douris*", *Baalbek*
ca. 1870   290 x 385 mm
Albumin

217

▲ Felix Bonfils
Türken und Araber in Jerusalem (Kontaktabzug von Carte-de-Visite-Negativen)
ca. 1870   207 x 284 mm
Albumin

▲ Samuel Bourne

Dhul Kanal in Srinagar, Kaschmir
ca. 1863   244 x 292 mm
Albumin

▼ Milton M. Miller (zugeschr.)

Der König von Siam
ca. 1862   172 x 231 mm
Albumin

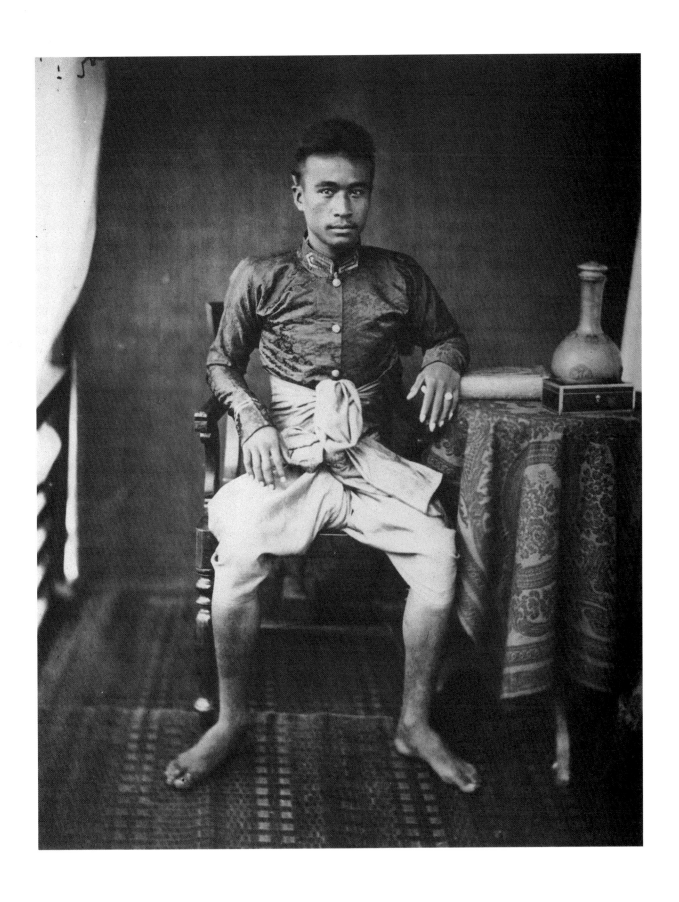

▲ John Thomson (zugeschr.)
Siamesischer Edelmann
ca. 1866   202 x 160 mm
Albumin

▲ Milton M. Miller

Tribüne des Rennplatzes in Hongkong
ca. 1862   240 x 270 mm
Albumin

▼ Milton M. Miller

Grundsteinlegung zum Rathaus, Hongkong
ca. 1865   193 x 254 mm
Albumin

▲ Milton M. Miller
Chinesische Dame aus Szechuan
ca. 1862   170 x 165 mm
Albumin

▲ John Thomson

Sonnenstrahlen im Tempel der fünfhundert Götter, Kanton, China
1869   240 x 277 mm
Albumin

▼ John Thomson

Spielende Priester im Tempel der fünfhundert Götter, Kanton, China
1869   230 x 268 mm
Albumin

▲ John Thomson
Priester in Wha Linn Chee, Kanton, China
1869   262 x 195 mm
Albumin

▲ John Thomson
Drogenstraße, Kanton, China
1869   282 x 230 mm
Albumin

▲ John Thomson
Zwei Jungen am Bach, Singapur
1864   172 x 234 mm
Albumin

▼ John Thomson
Tee-Packhaus, Kanton, China
1869   227 x 280 mm
Albumin

▲ John Thomson

Wachsoldaten des Britischen Konsuls in Kanton, China
1869   236 x 272 mm
Albumin

▼ John Thomson

Im Garten des Britischen Konsuls, Kanton, China
1869   227 x 278 mm
Albumin

▲ John Thomson
Pavillon in Pun-ting-Qua's Garten, Kanton, China
1869   235 x 277 mm
Albumin

▼ John Thomson
Pun-ting-Qua's Garten, Kanton, China
1869   231 x 284 mm
Albumin

229

▲ John Thomson
Pun-ting-Qua's Theaterzimmer, Kanton, China
1869   227 x 277 mm
Albumin

▼ Anonym
Theater in China
ca. 1870   250 x 262 mm
Albumin

▲ John Thomson
Arme Chinesen, Kanton
1869   225 x 275 mm
Albumin

▼ John Thomson
An Deck einer Dschunke, China
1869   180 x 220 mm
Albumin

▲ John Thomson
„Hookey Alf" of Whitechappel, London
1876   112 x 85 mm
Woodburytypie

▲ John Thomson
Die „Crawlers" aus „Street Life in London"
1876   116 x 88 mm
Woodburytypie

▲ John Thomson
 „The London boardmen"
 1876   116 x 85 mm
 Woodburytypie

▼ John Thomson
 „Italian street musicians", London
 1876   90 x 116 mm
 Woodburytypie

▲ John Thomson
 „The Wall-worker", London
 1876   116 x 76 mm
 Woodburytypie

▲ John Thomson
„Cast-iron Billy", London
1876   115 x 90 mm
Woodburytypie

▲ Felix Beato

Das nördliche Taku-Fort bei Tientsin, China
1860   242 x 292 mm
Albumin

236

▲ Felix Beato

Friedhof in Nagasaki, Japan
ca. 1868   220 x 287 mm
Albumin

▼ Felix Beato

„*Sokichi und seine Bande", Hinrichtungsstätte in Kiso, Japan*
1868   192 x 253 mm
Albumin

237

▲ Hikoma Ueno
Samurai mit Diener und Sohn, Nagasaki
ca. 1868   130 x 96 mm
Albumin

▲ Hikoma Ueno
Junger Samurai, Nagasaki, Japan
ca. 1868   131 x 103 mm
Albumin

▲ Hikoma Ueno
Wanderpriester, Nagasaki
ca. 1868   130 x 96 mm
Albumin

▼ Felix Beato
Kangoträger, Japan
ca. 1868   211 x 263 mm
Albumin, koloriert

▲ Felix Beato
„Declining the Honour", Japan
ca. 1868   253 x 203 mm
Albumin, koloriert

▲ Felix Beato
Der Tokaido, Japan
1868   222 x 278 mm
Albumin

▼ Felix Beato
Fluß in Japan
1868   220 x 277 mm
Albumin

▲ Felix Beato

„The Belle of the Period", Japan
ca. 1868   253 x 203 mm
Albumin, koloriert

▲ R. Stillfried von Rathenitz
Kuli im Winterkleid
ca. 1875   227 x 170 mm
Albumin, koloriert

▲ K. Tamamura
Collage von Baby-Photos, Japan
ca. 1895   134 x 91 mm
Albumin, koloriert

▲ Kimbei Kusakabe
„Postrunner", Japan
ca. 1885   256 x 203 mm
Albumin, koloriert

▲ Otto Aschbrenner
Boxeraufstand in China, Tsingtau
1900   165 x 220 mm
Gelatine

▼ Anonym
Boxeraufstand in China
1900   118 x 162 mm
Gelatine

▲ Anonym (franz. Militärballon)
Peking, Christliche Kirche
1900   128 x 174 mm
Gelatine

▼ Anonym (franz. Militärballon)
Peking, Bombentrichter
1900   128 x 174 mm
Gelatine

▲ Anonym (franz. Militärballon)

Peking, Stadtteil der zerstörten ausländischen Gesandtschaften
1900   128 x 174 mm
Gelatine

▼ Anonym (franz. Militärballon)

„Quartier Nord", Luftaufnahme von Peking
1900   128 x 174 mm
Gelatine

▲ Anonym (franz. Militärballon)
„Vue du Pont de marbre", Luftaufnahme von Peking
1900   128 x 174 mm
Gelatine

▼ Anonym (franz. Militärballon)
„Porte Nord du Palais Impérial", Luftaufnahme von Peking
1900   128 x 174 mm
Gelatine

▲ Anonym
Kreml und Basilius-Kathedrale, Roter Platz, Moskau
ca. 1885   223 x 271 mm
Albumin, koloriert

▼ Anonym
„Ansicht vom Kreml und der Stadt Moskau vom Findelhaus aus"
ca. 1885   215 x 271 mm
Albumin, koloriert

▲ Anonym
Trödelmarkt in Moskau
ca. 1885   264 x 208 mm
Albumin, koloriert

▲ Willoughby Wallace Hooper
Junge und Baby im Baum, Indien
1878   101 x 153 mm
Albumin

▼ Willoughby Wallace Hooper
„*Verhungernde Kinder. Alter: 3 J., Gewicht: 3 Pfd.*", Indien
1878   101 x 153 mm
Albumin

▲ Willoughby Wallace Hooper
„Lebende Skelette", Indien
1878   101 x 153 mm
Albumin

▼ Willoughby Wallace Hooper
„In Erwartung kostenloser Hilfe", Indien
1878   101 x 155 mm
Albumin

▲ Henri Béchard

Arabisches Café, Kairo
ca. 1875   214 x 270 mm
Albumin

▼ Henri Béchard

Arabische Frauen, die zum Bad gehen, Kairo
ca. 1875   213 x 267 mm
Albumin

▲ Henri Béchard
Hof eines arabischen Hauses, Kairo
ca. 1875   370 x 267 mm
Albumin

255

▲ Henri Béchard
„Cheik Sadad", Kairo
ca. 1875   269 x 212 mm
Albumin

▼ Henri Béchard
„Marchand de Tabacs" (Tabakverkäufer), Kairo
ca. 1875   270 x 212 mm
Albumin

▲ Henri Béchard
Männer in Kairo beim Getreidemahlen
ca. 1875   270 x 215 mm
Albumin

▼ Henri Béchard
„Epicier" (Gewürzhändler), Kairo
ca. 1875   270 x 215 mm
Albumin

▲ Henri Béchard

Negerin, Kairo
ca. 1875   268 x 211 mm
Albumin

257

▲ Henri Béchard
Krokodiljagd, Nubien
ca. 1875   270 x 375 mm
Albumin

▼ Henri Béchard
„*Le Nil, Haute Egypte*"
ca. 1875   270 x 376 mm
Albumin

N.º 80 Karnak Intérieur de la salle Hypostile

H. Béchard

▲ Henri Béchard
Im großen Säulensaal von Karnak, Ägypten
ca. 1875   375 x 267 mm
Albumin

▲ G. (Per Vilhelm) Berggren

Konstantinopel, Träger einer Seiltrommel
ca. 1875   100 x 134 mm
Albumin

▼ G. (Per Vilhelm) Berggren

Konstantinopel, Türkischer Friedhof
ca. 1875   215 x 278 mm
Albumin

▲ G. (Per Vilhelm) Berggren

Konstantinopel, Lastenträger

ca. 1875　　　136 x 99 mm

Albumin

▲ Georg (Giorgio) Sommer
Neapel
ca. 1880   200 x 255 mm
Albumin

▼ Georg (Giorgio) Sommer
Neapel, Straßenleben
ca. 1880   195 x 253 mm
Albumin

▲ Georg (Giorgio) Sommer
Pompeji, versteinerter Hund
ca. 1872   198 x 252 mm
Albumin

▼ Georg (Giorgio) Sommer
Ausbruch des Vesuvs am 26. April 1872
183 x 243 mm
Albumin

▲ Georg (Giorgio) Sommer
Spaghetti-Esser
ca. 1870   222 x 176 mm
Albumin

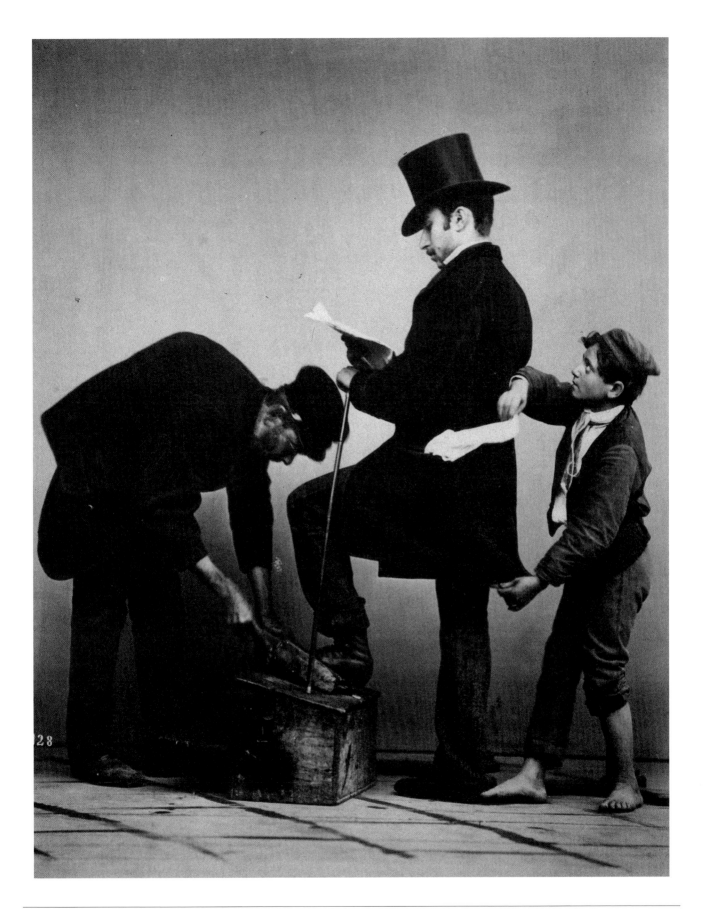

▲ Georg (Giorgio) Sommer
Schuhputzer und Taschendieb
ca. 1870   230 x 184 mm
Albumin

▲ Georg (Giorgio) Sommer
„Fabrica di Maccheroni"
ca. 1885   197 x 252 mm
Albumin

▼ Georg (Giorgio) Sommer
Deutsches Bierlokal „Zum Kater Hiddigeigei", Capri
ca. 1890   200 x 255 mm
Albumin

▲ Georg (Giorgio) Sommer
Öffentlicher Schreiber, Neapel
ca. 1868   250 x 200 mm
Albumin

▲ Otto Schmidt

Wiener Typen: Scherenschleifer
1886   98 x 132 mm
Albumin

▼ Dr. Norbert Pfretzschner

Achensee, Tirol
ca. 1865   228 x 304 mm
Albumin

▲ Otto Schmidt

Wiener Typen: Wurstverkäufer und „Brodschani"
1886   126 x 98 mm
Albumin

▲ Johann Unterrainer
Glocknerbesteigung
ca. 1890   150 x 96 mm
Gelatine

▲ Charles Scolik
Kaiser Franz Josef I. auf der Jagd in Bad Ischl, Österreich
ca. 1895   189 x 126 mm
Albumin

▼ Alois Beer
Lawinenunglück in Bleiberg, Österreich
7. 3. 1879   156 x 208 mm
Albumin

▲ Georg Koppmann
„Dovenfleth und Ecke hinter der Lembkentwiete", Hamburg
1883   252 x 355 mm
Albumin

▼ Georg Koppmann
Stadtdeich, Hamburg
1883   277 x 400 mm
Albumin

▲ Georg Koppmann
„Dovenfleth", Hamburg
1883   268 x 383 mm
Albumin

▲ Hermann Rückwardt
Lehrter Bahnhof, Berlin
1882   205 x 318 mm
Albumin

▼ Hermann Rückwardt
An der Fischerbrücke in Berlin
1881   205 x 317 mm
Albumin

▲ Hermann Rückwardt
Der Wilhelmplatz mit dem „Kaiserhof", Berlin
1881   205 x 316 mm
Albumin

▼ Hermann Rückwardt
„Das Kronprinzliche Palais vom Kastanienwäldchen aus gesehen"
1881   205 x 316 mm
Albumin

▲ Wilhelm Erlemann

Kaiser Wilhelm I. und Kaiserin Augusta in Koblenz
1885   98 x 132 mm
Albumin

▼ W. Höffert

Kaiser Wilhelm I. (1797-1888)
13. 3. 1888   97 x 138 mm
Lichtdruck

274

▲ J. C. Schaarwächter
Der 100-Tage-Kaiser Friedrich III. (1831-1888), Berlin
1888   138 x 94 mm
Albumin

▲ Großfürst Michael v. Rußland
Kaiser Wilhelm I. (1797-1888) in Baden-Baden
1886   190 x 128 mm
Albumin

▼ M. Ziesler
Kaiser Wilhelm II. und Otto v. Bismarck in Friedrichsruh
30. 10. 1888   148 x 204 mm
Gelatine

▲ Richard Parkinson

Eingeborene aus Finschhafen, Neu-Guinea
ca. 1897   214 x 166 mm
Albumin

▼ Richard Parkinson

Eingeborene in Erimahafen, Neu-Guinea
ca. 1897   219 x 165 mm
Albumin

▼ Richard Parkinson

Eingeborene auf Tamara, Neu-Guinea
ca. 1897   217 x 160 mm
Albumin

276

▲ Joseph Albert
Otto Fürst von Bismarck (1815-1898)
1885   88 x 58 mm
Albumin

▼ J. H. Strumper
Der König von Siam, Tschulalongkorn und Fürst von Bismarck in Friedrichsruh
2. 9. 1897   153 x 215 mm
Lichtdruck

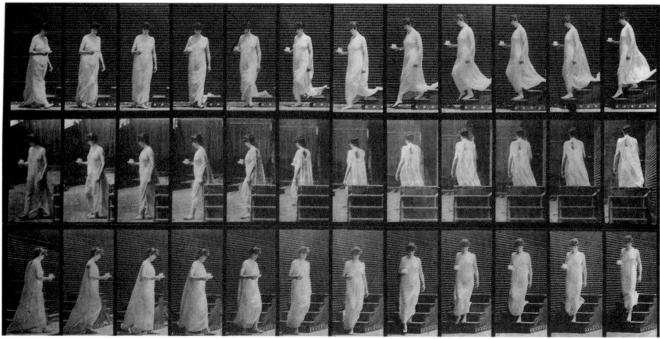

▲ Eadweard Muybridge

Zwei Frauen begrüßen sich, („Animal Locomotion")
1887   228 x 305 mm
Lichtdruck

▼ Eadweard Muybridge

Bewegungsstudie, („Animal Locomotion")
1887   192 x 383 mm
Lichtdruck

▲ Ottomar Anschütz
Gepard
1888   144 x 198 mm
Albumin

▼ Ottomar Anschütz

Trakehner in Ostpreußen
1884   93 x 137 mm
Albumin

▲ Neurdein frères

Eiffelturm, Fahrstuhl, Paris
1889   215 x 274 mm
Albumin

▼ Georg Washington Wilson

Waterloo-Place, London
ca. 1888   179 x 286 mm
Albumin

▲ Oskar Suck
Der Marktplatz in Karlsruhe
1886   168 x 214 mm
Albumin

▼ James Valentine
Fleetstreet, London
ca. 1890   190 x 282 mm
Albumin

▲ Knud Knudsen
Lappen-Hütte
ca. 1885   159 x 218 mm
Albumin

▼ M. G.
Walfang in Norwegen
ca. 1880   167 x 226 mm
Albumin

▲ Anonym
Tanger
ca. 1890   237 x 187 mm
Albumin

▼ Anonym
Berber (Musikant)
ca. 1890   236 x 186 mm
Albumin

▼ Anonym
Berber (Musikant)
ca. 1890   235 x 186 mm
Albumin

▲ Anonym
Porträt, Tanger
ca. 1890   237 x 187 mm
Albumin

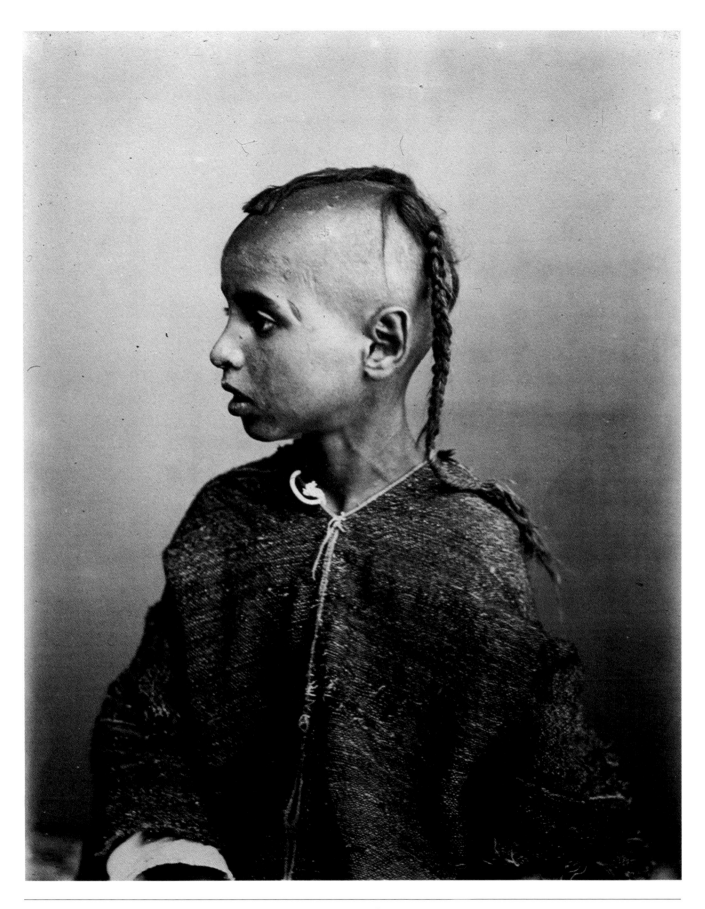

▲ Anonym
Porträt, Tanger
ca. 1890   237 x 187 mm
Albumin

▲ Peter Henry Emerson
„The Stickleback Catcher"
1887   240 x 294 mm
Photogravure

▼ Peter Henry Emerson
Seerosen
1886   124 x 284 mm
Platindruck

▲ Wilhelm Plüschow
Jünglingskopf mit Blumenkranz
ca. 1895   221 x 164 mm
Albumin

▲ Wilhelm von Gloeden
Porträt, Taormina
ca. 1890   225 x 175 mm
Albumin

▲ Wilhelm von Gloeden
Mädchenporträt, Taormina
ca. 1885   167 x 117 mm
Albumin

▲ Wilhelm von Gloeden
Nackter Jüngling mit Truthähnen
ca. 1895   171 x 122 mm
Albumin

▲ Wilhelm von Gloeden
„Maria"
ca. 1895   226 x 168 mm
Albumin

▲ Wilhelm von Gloeden

Sizilianischer Junge mit Korb
ca. 1890   220 x 172 mm
Albumin

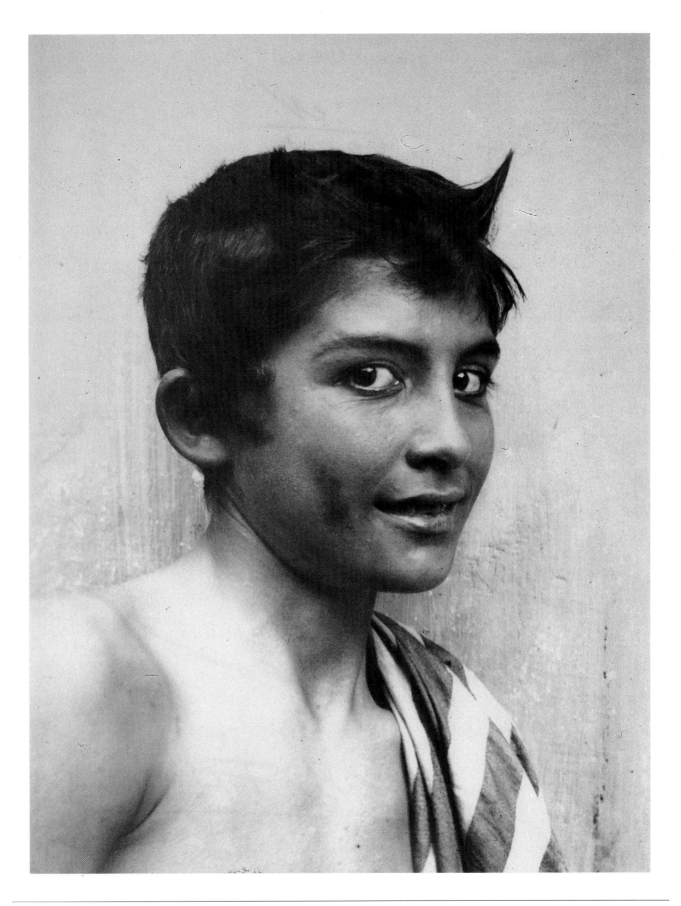

▲ Wilhelm von Gloeden
„Il Fauno"
ca. 1900   221 x 168 mm
Albumin

▲ Wilhelm von Gloeden
Vier nackte Jünglinge in Sizilien
ca. 1900   169 x 226 mm
Albumin

▼ Wilhelm von Gloeden
Knaben auf der Terrasse, Taormina
ca. 1900   166 x 252 mm
Albumin

294

▲ Wilhelm von Gloeden
Zwei Knaben mit Rosentöpfen
1903   365 x 265 mm
Platindruck

▲ Gebrüder Hofmeister
„Einsamer Reiter"
1903   168 x 240 mm
Heliogravure

▼ Constant Puyo
Junge Frau im Lehnstuhl
1903   139 x 228 mm
Grüner Pigmentdruck

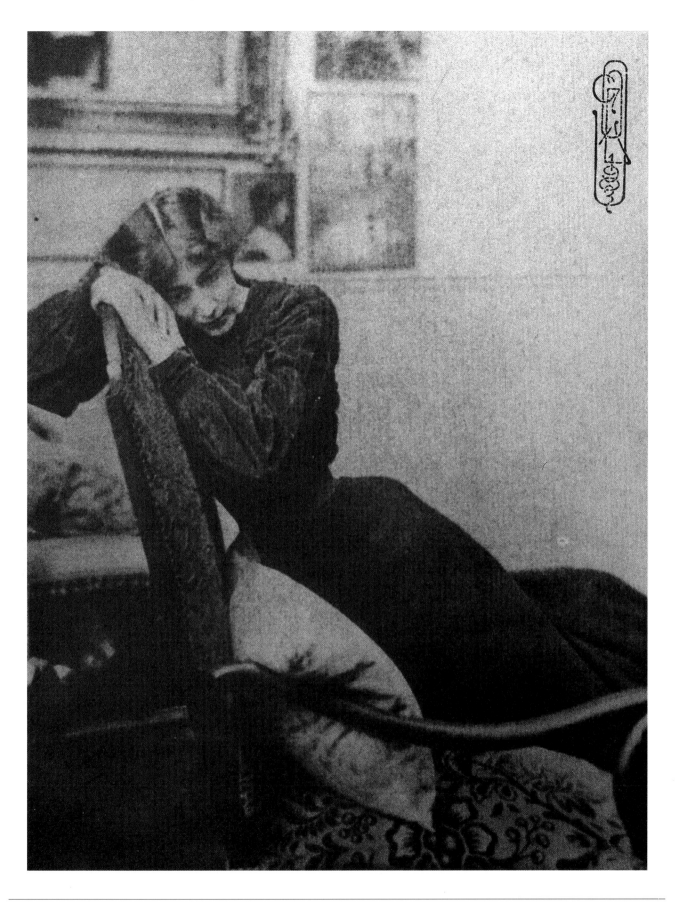

▲ Constant Puyo
Junge Frau im Lehnstuhl
1903   221 x 168 mm
Grüner Pigmentdruck

▲ Gebrüder Hofmeister
  „An der Brücke" Worpswede
  1898   178 x 128 mm
  Heliogravure

▼ Gebrüder Hofmeister
  „Bei Worpswede"
  1898   102 x 179 mm
  Heliogravure

298

▲ Gustav Trinks
„Farbige Schatten"
1902   233 x 191 mm
Heliogravure

▼ Alfred Kirstein
„Notturno"
1902   124 x 180 mm
Heliogravure

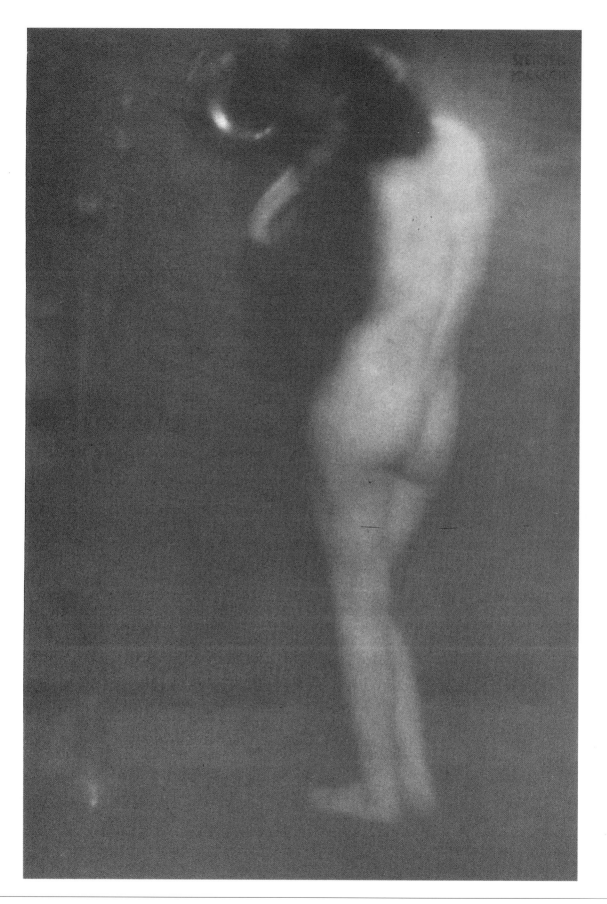

▲ Edward Steichen
„Little round Mirror"
1902   213 x 144 mm
Photogravure

▲ Edward Steichen
„*In Memoriam*"
1904   207 x 158 mm
Photogravure

▲ Edward Steichen

August Rodin (1840-1917)
1907   240 x 167 mm
Photogravure

▲ Heinrich Kühn
Tochter Edeltrude
ca. 1903   415 x 320 mm
Gummidruck

▲ Leopold Reutlinger

Die Tänzerin Loie Fuller im Kostüm ihres Schmetterlingstanzes, Paris
ca. 1900   136 x 100 mm
Gelatine

▲ Alphonse Marie Mucha
Weibliches Modell im Atelier von Mucha, Paris
ca. 1900   108 x 80 mm
Gelatine

▲ Salzmann (Marinemaler)
Dr. Güßfeldt mit Stativkamera auf dem Achterdeck der „Hohenzollern"
1889   60 x 60 mm
Aufgenommen mit der „Kodak Kamera Nr. 1"

▼ Salzmann (Marinemaler)
Kaiser Wilhelm II., vor ihm kniend Oberstleutnant von Lippe
1889   60 x 60 mm
Aufgenommen mit der „Kodak Kamera Nr. 1"

▲ Salzmann (Marinemaler)
Graf von Wedel und Graf von Waldersee an Deck der „Hohenzollern"
1889   60 x 60 mm
Aufgenommen mit der „Kodak Kamera Nr. 1"

▼ Salzmann (Marinemaler)
Vorbereitung eines Frühstücks in Norwegen
1889   60 x 60 mm
Aufgenommen mit der „Kodak Kamera Nr. 1"

▲ Salzmann (Marinemaler)
Kaiser Wilhelm II. an Deck der Yacht „Hohenzollern", Norwegenreise Juli 1889
60 x 60 mm
Aufgenommen mit der „Kodak Kamera Nr. 1"

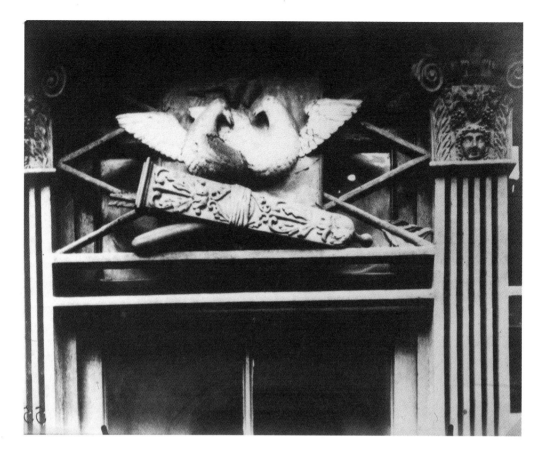

▲ Eugène Atget

„Enseigne 8 Rue Clement, 6e arr. 9913", Paris
1902   175 x 217 mm
Albumin

▼ Eugène Atget

„Ancien Parc de Philippe Elgalité. 9863", Paris
ca. 1900   170 x 218 mm
Albumin

▲ Eugène Atget
„Enseigne 8 Rue Clement, 6e arr. 4463", Paris
1902   220 x 177 mm
Albumin

TECHNIK VON NORDMENDE KANN SICH ÜBERALL SEHEN LASSEN.

Wer auf Form und Farbe mehr Wert legt als andere, wer der Ästhetik genauso viel Raum läßt wie dem hohen technischen Anspruch. Wer sich täglich aufs Neue mit Freude provozieren läßt – um sich letztlich bestätigt zu finden: Dessen Wünsche haben wir den richtigen Rahmen gegeben. Im FANTASTISCHEN PROGRAMM von NORDMENDE. Hier haben wir den Spectra-Stereo 7000 ins rechte Licht gerückt. Die Technik: 70-cm-Black-Matrix-Rechteckbildschirm – für brillante, farbreine Wiedergabe, neuentwickeltes F-15-Chassis – vorbereitet für die Technik von morgen, komfortable Fernbedienung „Computer Control 6" – für die volle Kontrolle. Das Design: Unverwechselbar und aufregend. Besonders in Verbindung mit dem separaten Sockel, der zwei zusätzlichen Lautsprechern und einem Video-Recorder Platz bietet, wird es sehr überzeugend. Die Information: Schreiben Sie uns oder fragen Sie den NORDMENDE-Fachberater nach dem **FANTASTISCHEN PROGRAMM.**

NORDMENDE-Vertriebs-GmbH
Funkschneise 5/9
2800 Bremen 44

NORDMENDE

MODERN DESIGN · GERMAN QUALITY.

WIR IN BREMEN VERBINDEN TRADITION UND FORTSCHRITT

In den über 160 Jahren unseres Bestehens als freie und gemeinnützige Sparkasse fühlen wir uns dem Gemeinwohl Bremens und seiner Bürger sowie seiner historischen Bedeutung gegenüber besonders verpflichtet.

Mit Stolz zeigen wir unsere positive Einstellung zu unserer Stadt, indem wir uns über unsere Aufgaben als ältestes regionales Kreditinstitut hinaus in vielen Lebensbereichen richtungsweisend und fördernd engagieren. Zum Beispiel auf kulturellem Gebiet, im Sport, im Stadtbild oder ganz einfach in der Begegnung von Mensch zu Mensch. Insbesondere aber durch unser aktives Zugehen auf die junge Generation wollen wir eine sinnvolle Verbindung schaffen zwischen bedeutungsvoller Vergangenheit, lebendiger Gegenwart und chancenreicher Zukunft. Wir beweisen dies mit vielen Aktivitäten, die unser gemeinsames Leben in Bremen bereichern.

Ihre Bank:

Die Sparkasse in Bremen

KODACOLOR GOLD FILME SEHEN
DIE SCHÖNEN DER NACHT BESSER ALS DER MENSCH.

KODACOLOR GOLD
Filme sehen die
bunte Welt in ihren
schönsten Farben
so scharf und so
detailliert, daß
unser Auge viel
davon lernen kann.

Autofokus
à la Nikon.

KAFFEE HAG

Wir versichern, was Sie lieben

MIELING & WALTER

Unser Erfolg ist die Zufriedenheit unserer Kunden

Wir sind so gut wie die Menschen, die für uns arbeiten. So erfolgreich, wie unsere Kunden mit dieser Leistung zufrieden sind.

Wir versichern Menschen. Ihren Besitz, ihren Arbeitsplatz, ihre Umwelt. Wir sorgen uns um ihre Gesundheit und ihr Leben und bilden Kapital für ihre Zukunft. Wir arbeiten für ein sicheres, unbeschwertes Leben.

Wenn wir gut arbeiten, kommt es unseren Kunden direkt zugute: In Form von Gewinnbeteiligungen, Beitragsrückerstattungen und günstigen Prämien.

SECURITAS-GILDE
Versicherungen

2800 Bremen 1, Am Wall 153–156,
Tel. (04 21) 3 67 70

Mein Gott, was für ein Jahr!

Alison Knowles
kam aus New York zu uns

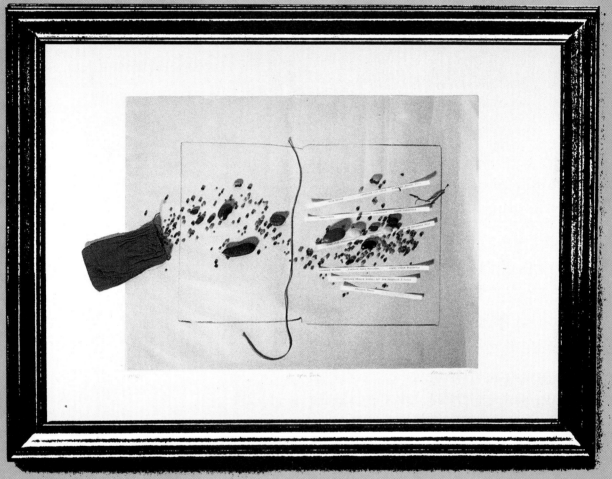

An Open Book
Alison Knowles

Blatt aus einem druckgraphischen Mappenwerk. 100 Exemplare, signiert, römisch numeriert, datiert. Format 70 × 100 cm. Gedruckt wurde auf hochwertigem, säurefreien Bütten.

Manchmal ist es ein langer
Weg, den richtigen Partner für
bedeutende Drucke zu finden.

Der Start der EDITION STEMMLE im Herbst 86 war ein voller Erfolg. Die Frühlingstitel sind vielsprechend und stehen dem Herbstprogramm in keinster Weise nach: Aktuelle, zeitgenössische Themen verarbeitet in Bildern und Texten, denen man sich nur schwer entziehen kann.

Einen Frühling voller Bilder versprechen die neuen VERLAG PHOTOGRAPHIE-Titel. Neben einer weiteren Ausgabe von PORTFOLIO PHOTOGRAPHIE erscheint ein neuer Band in der Reihe PHOTEDITION und ein exklusiver Luxusbildband mit Landschaften. Ausserdem erscheint auch noch ein neuer, kompetenter Technik-Band.

SCHWARZ AUF WEISS

ist nur die Ankündigung unseres sonst farbigen Frühjahrsprogrammes 1987.

LIEBE ZU KAUFEN
10 Fotografen sehen die Prostitution. 144 Seiten, ca. 100 SW- und ca. 20 Farbbilder, 24 x 28 cm, kartoniert mit Einschlagklappe, Preis 49.–, ISBN 3-7231-0360-3.
Prostitution — ein Thema das immer wieder Fotografen faszinierte. Die Text- und Bildstrecken in diesem Buch zeigen die Prostitution weltweit und in allen Schattierungen. Ein Titel der fasziniert und sicherlich auch nachdenklich macht.

ANSICHTEN VOM KÖRPER
Das Aktfoto 1840 – 1985
ca. 212 Seiten, ca. 220 Fotos, 22 x 28 cm, gebunden mit Schutzumschlag, Preis 59.–, ISBN 3-7231-0359-6.
9 Kapitel über die Aktfotografie von 1840 – 1985. Akt in der Daguerrotypie, der ethnologische Akt, pikante Postkarten, klassische Glamourfotografie u.v.a.. Herausgeber ist Michael Köhler, Kurator der erfolgreichen Ausstellung, welche 1987 in Europa auf ‹Tournee› gehen wird.

PEKING OPER Theaterzeit in China
Michael Giessenwehrer/
Jürgen Sieckmeyer
160 Seiten, ca. 120 Farbfotos, 24 x 28 cm, gebunden mit Schutzumschlag, Preis 79.–, ISBN 3-7231-0357-X.
Dieses Buch darf als einmalig bezeichnet werden. Einmalig deshalb, weil es nicht nur Bilder zum bekannten Spiel auf der Bühne zeigt, sondern auch Einblick in die Ausbildung und den Theateralltag verschafft. Sehr lebendige Fotos ergeben zusammen mit einem aufschlussreichen, spannend zu lesenden Text, ein Buch über das Theaterleben und über die Chinesen und ihr Theater.
Das Buch erscheint zum Start der Europa-Tournee der PEKING OPER, Ende März 1987!

DIE LETZTEN JUDEN IN POLEN
Malgorzata Niezabitowska/Tomasz Tomaszewski
160 Seiten, 50 Farbfotos, 22 x 28 cm, gebunden mit Schutzumschlag, Preis 64.–, ISBN 3-7231-0358-8.
Der Fotograf T. Tomaszewski und seine Frau M. Niezabitowska haben während 5 Jahren hunderte von Juden in Polen befragt, fotografiert und Gespräche niedergeschrieben. Auf diese Weise entstand ein eindrückliches Dokument.

EDITION STEMMLE

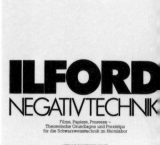

ILFORD NEGATIVTECHNIK
von Jost J. Marchesi
48 Seiten, über 80 Abb. und Tabellen, 22,5 x 29 cm, kartoniert, Preis 19.80, ISBN 3-7231-7300-4.
3., völlig neu überarbeitete Ausgabe. Der bekannte Fachautor geht in 13 Kapiteln auf alle Probleme der Selbstverarbeitung ein. Die ILFORD-Negativtechnik ist ein Rezept- und Nachschlagebuch sowohl für den Amateur- als auch für den Profifotografen. Das Buch ist von den Produkten her auf dem neusten Stand.

PORTFOLIO PHOTOGRAPHIE 8
ca. 150 Seiten, ca. 130 Fotos, 21 x 26,5 cm kartoniert, Preis 39.80, ISBN 3-7231-7400-0.
Seit 4 Jahren erscheint PORTFOLIO PHOTOGRAPHIE 2x jährlich. In der Nr. 8 der Reihe ist der zweite Teil der 1986 in PHOTOGRAPHIE (7/86 – 12/86) erschienenen Portfolio zusammengefasst. Wieder werden die Arbeiten von mehr als 30 Künstlern gezeigt.

SÜDLICHE IMPRESSIONEN
von Joao Avelino Marques
112 Seiten, 74 grossformatige Farbfotos, 30 x 40 cm, Leinenausgabe mit Leinen-Schuber, Preis 148.–, ISBN 3-7231-7200-8.
Wunderschöne Aufnahmen aus Portugal, Italien und Marokko. Lieblingsthema von Avelino Marques sind stimmungsvolle Strand- und Schiff-Szenen aus seiner portugiesischen Heimat.

PHOTEDITION 10 – KOMPOSITIONEN von Harald Mante
ca. 60 Seiten, ca. 50 Farbfotos, 26 x 32 cm, kartoniert Preis 34.–, ISBN 3-7231-7100-?
Harald Mante, Professor an der Fachhochschule in Dortmund, hat die moderne Farbfotografie in Deutschland mit seinen Arbeiten wesentlich mitgeprägt. Mit PHOTEDITION 10 liegt nun die erste Monografie dieses «Farbkünstlers» vor
Erscheinungstermin: April 198

VERLAG PHOTOGRAPHIE

VERLAG 'PHOTOGRAPHIE' AG SCHLAGBAUMSTRASSE 6 8200 SCHAFFHAUSEN (SCHWEIZ) TELEFON 053/5 00 03
SCHAFFHAUSEN · ZÜRICH · FRANKFURT/M · DÜSSELDORF

r Buchhändler freut sich auf Ihren Besuch. Fragen Sie ihn nach unseren Büchern oder unseren Verlagsprogramme

Colette

MICHAEL GALLERY · FEDELHÖREN 106 · 2800 BREMEN · ☎ 04 21 / 32 38 60 PAINTED PHOTOS AND SCULPTURES 1984 – 87